KT-232-337

Richard von Weizsäcker im Gespräch
mit Gunter Hofmann und Werner A. Perger

# Richard von Weizsäcker

im Gespräch
mit Gunter Hofmann und
Werner A. Perger

Eichborn Verlag

Die Deutsche Bibliothek – CIP-Einheitsaufnahme

**Richard v. Weizsäcker im Gespräch mit** / Gunter Hofmann ;
Werner A. Perger. – Frankfurt am Main : Eichborn, 1992
ISBN 3-8218-1160-9
NE: Hofmann, Gunter [Hrsg.]


Umschlaggestaltung: Rüdiger Morgenweck
Lektorat: Albert Sellner
Foto: dpa
Satz: Fuldaer Verlagsanstalt GmbH.
Druck und Bindung: Wiener Verlag, Himberg.
ISBN 3-8218-1160-9
Verlagsverzeichnis schickt gern:
Eichborn Verlag, Hanauer Landstraße 175, D-6000 Frankfurt/Main 1.

# Inhalt

Ein Anfang in Deutschland ........................................ 7

Die schwierige Einheit oder
Noch immer: Ostdeutsche und Westdeutsche? .......... 13

Der Fall der Mauer *15* · Zusammengehörigkeit der Deutschen *22* · Gesellschaft der DDR *23* · Teilung als Strafe? *27* · Bürgergesellschaft der Bundesrepublik *30* Vereinigung nach Art. 23 GG *31* · Notwendigkeit des Teilens *33* · Lastenausgleich *36* · »Abwicklung« *42* Umgang mit der Stasi-Problematik *45* · Unterschied zwischen NS-Herrschaft und SED-Regime *48* · Résistance und Kollaboration *51* · Egon Bahr *52* · Willy Brandt *53* Künstler im SED-Staat *55* · DDR-Wissenschaft *57* Manfred Stolpe *58* · Kirchen *59* · Geschichte der Ostpolitik *63* · Entspannungspolitik und Bürgerrechtsbewegungen *66* · Ostdenkschrift der EKD *71* · Ostverträge *72* · Rede zum 8. Mai 1985 *73* · Historikerstreit *75* · Unterwegs nach Europa *78* · »Verfassungspatriotismus« *80*

Das Ende der Nachkriegsordnung oder
Deutschlands Außenpolitik in der Bewährung ......... 85

Ende des Ost-West-Gegensatzes *87* · Dritte Welt *88* Islam *89* · Rolle der USA *91* · Golfkrieg *95* · Mittellage Deutschlands *97* · Der Westen und die Osteuropäer *99* · Die Rolle der EG *102* · Kritik der Nachbarn an Deutschland *103* · Franzosen und Briten *106* · Entwicklung Osteuropas *108* · Jugoslawien *117* · Vereinte Nationen *116* · Wahl zwischen Frankreich und den USA *118* · Vertiefung und Erweiterung der EG *121* Zukunft der politischen Union Europas *123* · Monnet und Adenauer *124* · Wohlstandsgefälle West- und Osteuropa *125* · Wirtschafts- und Währungsunion *126* Rußland und Europa *128* · Europäische Prägung durch persönliche Erfahrungen *130*

Der Parteienstaat oder
Die Zukunft der liberalen Demokratie ........................ *135*

Verfassungsdiskussion *137* · Parteien als Verfassungsorgan *139* · Konsequenzen des Einigungsvertrages *145* Wachsender Einfluß der Parteien *146* · Politik als Beruf *149* · Bürgernahes Kommunalwahlrecht in Süddeutschland *153* · Volksbegehren *154* · Demokratie und Medien *156* · Bundesverfassungsgericht *159* · Rolle des Staatsoberhauptes in Weimar und im Grundgesetz *160* · Direktwahl des Präsidenten *163* · Bedeutungsverlust des Parlaments *164* · Antidemokratische Traditionen der Parteienkritik *165* · Utopie des Status quo *166* · Möglicher Austausch zwischen Gesellschaft und Parteien *167* · Scheitern des Marxismus *170* · Realismus und Utopie *172* Nichtwähler *173* · Grüne *173* · Bürgerinitiativen *174* Vaclav Havel *175* · Erwartungen an Intellektuelle *177* »Ende der Geschichte«? *181*

Richard von Weizsäcker – Biographische Daten ...... *183*

# Ein Anfang in Deutschland

Dieses Buch ist eine Aufforderung zur Diskussion. Zu Wort meldet sich Richard von Weizsäcker, der Bundespräsident. Seine Amtszeit läuft im Jahr 1994 aus.

Manche Präsidenten der Westrepublik – Richard von Weizsäcker ist das erste Staatsoberhaupt des vereinigten Deutschlands – haben in öffentlichen Angelegenheiten gerne mitgeredet. Andere haben es gescheut oder einfach unterlassen oder es wurde ihnen nicht zugehört. Wie auch immer man in dieser Hinsicht Theodor Heuss, Heinrich Lübke, Gustav Heinemann, Walter Scheel und Karl Carstens beurteilt, Richard von Weizsäcker, das läßt sich schwer bestreiten, ist in dieser Hinsicht der politischste Präsident. Und das hängt nicht nur mit den Zeitverhältnissen zusammen.

Zum ersten Mal läßt sich ein Bundespräsident auf ein solches Gesprächsbuch ein. Reden, Worte, Texte sind nun einmal die zentrale Möglichkeit seiner politischen Mitwirkung. Das Amt legt enge Fesseln an. Noch enger möchten die Parteien sie dem jeweiligen Amtsinhaber anlegen, immer dann nämlich, wenn ihnen eine Intervention aus der Villa Hammerschmidt nicht genehm ist. Ein politischer Präsident aber kann nicht nur auf genehme Weise intervenieren. Auf beide Aspekte, das Amt des Präsidenten und das Selbstverständnis der Parteien, kommt Richard von Weizsäcker übrigens zwangsläufig zu sprechen – nicht aus Eigeninteresse, sondern weil das zu den Fragen gehört, über die nachzudenken ist, wenn man den Zustand der Demokratie beleuchten möchte.

Da Worte sein Mittel sind, liegt es nahe, Richard von Weizsäcker selbst sprechen zu lassen. Zugleich waren es aber auch die Umstände, die fast aufgedrängt haben, daß er sich ausführlich zu Wort meldet, ja Alarmglocken läutet. Die Politikfähigkeit der Politik selbst steht zur Debatte, der Bundespräsident debattiert mit.

Er meldet sich in einem Moment zu Wort, in dem das Unbehagen über die Politik und ihre Institutionen, in Deutschland ohnehin immer leicht abrufbar, größer denn je ist. Derzeit erscheint es besonders populär, die »politische Klasse« zu kritisieren. Aber es sind nicht Popularitätsmotive, die Weizsäcker umtreiben. Er meint, die Parteien, aus denen sich die Politiker rekrutieren – auch er selbst natürlich, Richard von Weizsäcker wuchs in sein Amt als CDU-Politiker –, sollten sich weniger anmaßen und mehr leisten. Sie sollten lassen, wovon sie zuviel machen, und anpacken, was sie versäumen. Aber es soll hier nicht gedeutet oder paraphrasiert werden, was er dazu sagen möchte. Es kommt dabei – gerade weil die Kritik notwendig ist, aber sich eben oft auch ein apolitisches oder gar antidemokratisches Ressentiment hinter der Parteienkritik versteckt – auf jedes Wort und jede Nuance an. Auf Wort und Nuance bei dem Befragten selber.

Die Idee zu dem Buch hat der Kontext in Deutschland geliefert, nämlich die wirkliche Entwicklung nach der Vereinigung und der Zustand der deutschen Demokratie, die damit auf ihre Tragfähigkeit und Substanz getestet wird. Die staatliche Vereinigung ist ja geglückt. Aber – aus Sicht vom Frühsommer 1992 – die Einheit liegt noch fern.

Es geht also um einen Anfang in Deutschland. Zunächst hatte die Politik alle Hände voll damit zu tun (aus West-Sicht), den »Beitritt« zu organisieren oder das zu begreifen und wenn möglich zu meistern (aus Ost-Sicht), was sich in atemberaubendem Tempo vollzog. Die »unerhörte Begebenheit«, wie Wolf Lepenies das nannte, lief ab, aber fast ungesteuert. Folglich blieben Rückfragen an die alte Bundesrepublik aus. Viele wollten nicht mehr wahrhaben, daß sie sich diese Vereinigung, die mit dem 9. November 1989 begann, nicht hatten vorstellen können oder wollen, selbst dann nicht, wenn sie sich festtags stets zum großen Ziel der Wiedervereinigung bekannten. Sie waren Bundesrepublikaner geworden. Auf unkritische Weise selbstzufrieden und saturiert oder versöhnt, weil diese Westrepublik sich zur leidlich liberalen und zivilen Demokratie entwickelt hatte. So dehnte die Bundesrepublik ihr Politikmodell aus auf die ehemalige DDR, ohne jederlei Selbstzweifel. Das heißt: die wirkliche Rückfrage nach der Vereinigung richtet sich eben auch an die Adresse des Westens. Die Politik und die Politiker wollten das bisher nur in seltenen Ausnahmefällen an sich heranlassen. Dieses Buch soll der Versuch einer solchen Rückfrage sein.

Es hat eine Weile gebraucht – und der Prozeß dauert wahrscheinlich noch an –, um zu verstehen, was seit dem 9. November 1989 wirklich geschah. Im Osten der immense Schock, plötzlich einer offenen Marktwirtschaftsgesellschaft ausgesetzt zu sein, der die Freude über die Freiheit – Wahnsinn! – erstickte; im Westen die Abwehr aus Angst, es könne stimmen, daß nichts mehr so sein werde, wie es war – auch das verwischte die Freude über den Mauerbruch. Allmählich setzt sich die Einsicht durch, daß dieser Bruch der Mauer wie ein großer Relativierer wirkt. Relativiert wurden die eigenen Probleme von gestern. Relativiert wurde alles, was man unter »Politik« verstand und was die Parteien daraus machten. Parteilinien und Problemverläufe klafften nun sichtbar endgültig auseinander. Angesichts existentieller, moralischer, grundsätzlicher Probleme erschien es zunehmend egal, was die eine oder andere Partei dazu zu sagen hatte, wichtig blieb nur, welche Antworten problemangemessen waren und wer sie zu geben versuchte. Mit anderen Worten: Die Parteipolitiker hatten nun die Verantwortung für ein größer gewordenes Deutschland, aber sie hatten zugleich ein Stück ihrer eigenen Grundlagen verloren. Größere Probleme, weniger Selbstgewißheit. Auch deshalb ist Richard von Weizsäcker gefragt.

Präsidenten sind ohnehin überparteiliche Institutionen. Aber in einem solchen Moment liegt es besonders nahe, daß sich die Augen auf Richard von Weizsäcker richten – wie auf alle, die eine Art unabhängige Autorität bilden in desorientierenden Zeiten. Viele sind es ja nicht. Wenn die Demokratie in Deutschland selber Teil des Problems ist, um das es geht, sind die Antworten eben kaum von denen zu erwarten, über die kritisch verhandelt wird. Früher wäre das, was sich jetzt abzeichnet, eine Legitimationskrise genannt worden.

In Augenblicken, in denen die Politik ratlos erscheint, kann im Vermittlungsversuch die eigentliche Chance einer Neuorientierung schrecken. Richard von Weizsäcker ist ein genau abwägender Vermittler. So hat er Amt und Rolle stets verstanden.

Das Gespräch mit ihm, mehrere Runden in mehreren Stunden, auf Band aufgenommen, wurden nicht am Tegernsee oder Unter den Linden geführt, sondern in der Villa Hammerschmidt. Tatort Bonn. Das hat auch seine Logik. Noch ist die alte Hauptstadt der Ort der Politik; und Weizsäcker bleibt durchaus angekoppelt an diese Politikwelt, in die er hineingewachsen ist und die er intim kennt. Ihre wahre Verfassung ist ihm aus der Nähe vertraut, mitunter ist man verblüfft, wie genau. Beim Gespräch stört kein Anrufer. Man wähnt sich in einem kleinen Elfenbeinturm, wenn man im Besuchszimmer am runden Tisch über den schwierigen Anfang in einem schwierigen Land spricht.

Es schmeckt nach Idylle. Aber das Kanzleramt liegt gleich hinter dem Gartenzaun. Die Parteizentralen kann man zu Fuß erreichen. Das Parlaments-Wasserwerk ist vom Park aus zu sehen – der neue Bundestag, noch Baustelle, ein Stück demokratischer Architektur, kann bald bezogen werden. Derzeit tobt der Streit darum, ob der alte, zerstückelte Bundesadler wieder an der Stirnwand prangen oder ob er modernisiert werden soll. Diese kleine Welt liegt vor der Tür, in ihrer ganzen Alltäglichkeit, sie hat Richard von Weizsäcker im Blick, sehr konkret, sehr besorgt, sehr maßstäblich.

Bonn, Ende Mai 1992

G. H./W. A. P.

# Die schwierige Einheit
# oder
# Noch immer: Ostdeutsche
# und Westdeutsche?

*Wir wollen uns mit einem Anfang in Deutschland befassen, der auf den 9. November 1989 zurückgeht. Dieser Anfang, die überraschende Öffnung der Berliner Mauer, steckte, wie uns scheint, voller Ambivalenzen. Die einen haben das als einen Prozeß der Befreiung in Deutschland und Europa gesehen. Andere empfanden einen Verlust, trotz aller Freude. Die einen haben eine Rückkehr in ein längst vergangenes Deutschland, das der 50er Jahre, befürchtet. Die anderen haben die Chance zum großen neuen Anfang gesehen. Die einen wollten, daß alles anders werde, und die anderen, daß sich nichts ändern möge. Manche haben für beides zugleich plädiert. Die einen haben Offenheit angemahnt für Veränderungen und meinten damit die internationale Rolle Deutschlands. Die anderen haben die alte Bundesrepublik verteidigt und das, was sie als deren demokratische Errungenschaften verstehen. Was waren Ihre Empfindungen seit diesem deutschen Anfang vom 9. November 1989?*

Die erste Empfindung am 9. November 1989 und in der unmittelbar folgenden Zeit war eine rückhaltlose, tiefe und erstaunte Freude. So habe ich es bei den Deutschen in Ost und West erlebt, ohne das einschränkende Gefühl eines Verlustes, von dem Sie in Ihrer Frage sprechen.

Hinzu kam die Anteilnahme der ganzen Welt. Zu meinen Lebzeiten hatte es so etwas noch nie gegeben, daß man sich praktisch überall auf der Erde mit Wärme und Herzlichkeit an einem Ereignis in Deutschland gemeinsam mit den Deutschen freut. Viele Zeichen dieses Mitempfindens haben mich aus allen Teilen der Welt erreicht und sie haben mich stark berührt.

Ich denke dabei vor allem an unsere unmittelbaren Nachbarn. Natürlich war es auch schön, Glückwünsche, sagen wir, aus den fernen Tonga-Inseln in der Südsee zu erhalten. Besonders bewegend aber war die aufrichtige Mitfreude der Holländer, der Polen, der Dänen und anderer Nachbarvölker, in denen man vorher nicht selten auf die Meinung gestoßen war, die deutsche Teilung sei eine gerechte historische Strafe für Nationalsozialismus und Zweiten Weltkrieg.

Diese allgemeine Freude über den Fall der Mauer bezog sich nun aber noch nicht auf die politische Konsequenz des Falls der Mauer. In Wirklichkeit war ja niemand auf der Welt – vor allem auch die Deutschen selbst nicht – politisch auf diesen Tag vorbereitet. Man war mit dem Gedanken an eine rasche Vereinigung nicht vertraut. Das hat damals auch niemand behauptet. Es wird nur gelegentlich vergessen.

*Welche Gründe vermuten Sie dafür?*

Ich glaube, die Gründe dafür waren in Ost und West unterschiedlich. Der polnische Schriftsteller Andrzej Szczypiorski hat einmal die unterschiedliche Haltung der Polen und der Deutschen in der alten Bundesrepublik geschildert. Er meinte, die Polen hätten sich an keinem Tag der Nachkriegszeit mit dem Ergebnis des Zweiten Weltkrieges abgefunden, d.h. mit dem ihnen aufgezwungenen politischen Regime. Daher seien die Polen auf das Ende der kommunistischen Herrschaft jederzeit geistig vorbereitet gewesen.

Die Deutschen im Westen dagegen, so sagt er, hätten sich in die Lage der Teilung allmählich fast ganz hineingelebt und insoweit die Folgen des Zweiten Weltkrieges akzeptiert. Sie seien erstaunt, froh und erleichtert darüber gewesen, daß sich bei ihnen eine vollkommene Westorientierung hätte vollziehen können, von den verfassungsrechtlichen Grundgedanken über die politischen Allianzen bis zu den Lebensgewohnheiten und kulturellen Bereicherungen.

Nun ist ein solcher Vergleich zwischen einem Polen unter kommunistischer Fremdherrschaft und einem Westdeutschland im Zeichen freiwilliger, demokratischer Westbindung problematisch. Man muß die Empfindungen in den beiden deutschen Staaten getrennt voneinander betrachten. Den Westdeutschen ging es gut. Für ihre Sicherheit war gesorgt. Mit ihrer Tüchtigkeit konnten sie sich dem wirtschaftlichen Aufbau widmen. Ihr Ansehen in der Welt stieg. Zukunftsvisionen zur Veränderung dieser günstigen Lage, unter Einschluß eines Wandels durch Vereinigung Deutschlands hatten und suchten sie in Wahrheit je länger desto weniger. Gewiß war das Gefühl der Zusammengehörigkeit mit den Deutschen im Osten keineswegs abgestorben. Aber damit war im Westen keine Erwartung oder Bereitschaft zu einer Veränderung ihrer politischen und menschlichen Lebenslage verbunden. Auch beunruhigte es sie nicht, denn sie rechneten ja gar nicht damit.

Ganz anders sah es bei den Deutschen in der DDR aus. Gewiß, man hatte lernen müssen, sich mit der Lage zu arrangieren, die man nicht ändern konnte. Es gab auch begrenzte Übereinstimmungen zwischen der Bevölkerung und der von außen aufgenötigten politischen Führung, zum Beispiel wenn es darum ging, ein gewisses Maß an außenpolitischer Selbständigkeit der DDR gegenüber der Führungsmacht Sowjetunion zu erringen. Als also nach dem Grundlagenvertrag die DDR als Mitglied in die UNO aufgenommen wurde und einen amerikanischen Botschafter in Ostberlin akkreditierte, sahen darin zwar die meisten Westdeutschen eine Befestigung der Teilung, viele Ostdeutsche aber auch ein kleines Stück Befreiung aus dem umfassenden Satellitenverhältnis zu Moskau. Dennoch blieb das elementare Grundbedürfnis der Menschen in der DDR die Befreiung von der politischen Zwangsherrschaft. Die KSZE-Schlußakte von Helsinki aus dem Jahr 1975, vor allem mit ihrem sogenannten Korb 3, beschrieb die Befreiungsziele deutlich genug. Darin bestand der entscheidende Veränderungswille der Deutschen in der DDR, auch wenn sie im Herbst 1989 so wenig wie die Westdeutschen auf eine unmittelbar bevorstehende staatliche Vereinigung vorbereitet waren.

*Die Öffnung der Mauer war also die Freude darüber, daß das entscheidende Symbol weggefallen war, daß etwas zu Ende geht...*

Und daß etwas anfängt: Die Freiheit.

*Nun, daran anschließend: Gab es hinterher, nach dieser weltweiten Emotion, die sich auf den 9. November bezog, zweite Gedanken bei den Nachbarn und den übrigen Staaten, ein Nachdenken, auch Sorge darüber, was aus dieser Entwicklung wohl werden würde – bei all der Sympathie und Freude, von der Sie eben gesprochen haben?*

Ganz ohne jeden Zweifel. Es war leichter, sich überall in

der Welt an der Freude zu beteiligen, die jeder normal fühlende Mensch in Berlin empfand, als mit derselben Begeisterung auf die politischen Folgen zu warten, nämlich auf die staatliche Vereinigung der Deutschen.

*Haben die Deutschen diese Freude zu ernst genommen, in ihrer politischen Bedeutung sozusagen überbewertet?*

Nein, so sehe ich es nicht. Zum einen ließ die Freude aus dem Ausland doch auch erkennen, daß sich das Verhältnis unserer Nachbarn zu uns in einem positiven Sinne geändert hatte: Durch Verläßlichkeit im Bündnis wie auch durch die Entspannungspolitik war neues Vertrauen entstanden. Man sollte den Zusammenhang zwischen der natürlichen menschlichen Mitfreude und dem politisch gewachsenen Vertrauen nicht übersehen.

Das andere aber ist, daß wir eine politische Bedeutung der Mitfreude schon deswegen nicht alsbald überbewerteten, als wir ja im November 1989 durchaus nicht daran dachten, daß wir elf Monate später die staatliche Wiedervereinigung formal würden abgeschlossen haben. Niemand hat das damals gewußt.

Der Gang der folgenden Ereignisse ist bekannt. Der Begeisterung folgte allmählich die politische Reflexion über die Möglichkeiten nach dem Mauerfall. Ende November kam es zur ersten Aussprache im Bundestag, mit dem 10-Punkte-Plan des Bundeskanzlers, der die spontane und fast unkonditionierte Zustimmung durch die Opposition erhielt. Auch in diesem Plan aber war noch von Konföderation die Rede. Und die Zeitvorstellungen für die Vereinigung bezogen sich eher auf eine Dekade von Jahren als von Monaten. Doch dann wurden alsbald Entwicklungen sichtbar, die zu raschem Handeln nötigten. Das eine waren angesichts der nunmehr offenen innerdeutschen Grenzen die laufenden Abwanderungen in den Westen, die wichtige Elemente der Lebensfähigkeit in der DDR gefährdeten. Das andere waren außenpolitische Überlegungen. Denn schon bald zeigten sich deutliche Unterschiede in der Haltung von Verbündeten und Nachbarn und damit Chancen und Handlungszwänge.

Realistische und für die Vereinigung hilfreiche Signale kamen bald vom Präsidenten der Europäischen Kommission Jacques Delors. Unter den vier für Deutschland als Ganzes nach wie vor zuständigen Mächten gaben die Amerikaner frühzeitig zu erkennen, daß sie aus innerer Überzeugung einen raschen staatlichen Vereinigungsprozeß unterstützen würden. Die Sowjetunion, Frankreich und Großbritannien waren, unterschiedlich im Grad und in den Motiven, zurückhaltender. Man wollte und konnte sich nicht so ohne weiteres darauf einstellen neu anzufangen, so als habe die Nachkriegszeit mit ihren gewachsenen Gewichten und Akzenten ihre Bedeutung verloren.

*Wir haben den Eindruck, daß die große internationale Zustimmung, die der deutschen Entwicklung anfangs zuteil wurde, hierzulande zum Teil ganz gezielt fehlinterpretiert wurde: Der Neuanfang als tabula rasa.*

Nein, das glaube ich nicht. So gewaltig die Zäsur ist, die der 9. November 1989 mit seinen Folgen gebracht hat, so wenig gibt es eine Stunde Null. Wir vergessen die Vergangenheit nicht und bleiben für ihre Folgen verantwortlich. Das geschaffene Vertrauen in der Europäischen Gemeinschaft und dem Bündnis wirkt fort. Und nun gilt es, in historisch-moralischer Kontinuität die ganze Dimension der Aufgaben zu begreifen, die die Vereinigung mit sich bringt.

*Es gibt Stimmen, die im Zusammenhang mit der Debatte über eine neue internationale Rolle des größer gewordenen Deutschland dafür plädieren, mit dem »moralischen Größenwahn«, wie Arnulf Baring formuliert, Schluß zu machen. »Wir glauben, weil wir die Erfahrung des Nationalsozialismus hinter uns haben«, schreibt er, »seien wir sensibler, aufgeklärter, uns über verantwortliches Verhalten klarer als andere Völker« – die anderen aber hätten für »diese Exzentrik« kein Verständnis.*

Baring will uns also davor warnen, zu glauben, nun sei alles größer geworden, Deutschland, seine Erfahrung, die Vergangenheit, die Moral, die Verantwortung und überhaupt die Kraft zur Einsicht.

Aber die Erfahrung mit dem Nationalsozialismus ist nun einmal Bestandteil unseres Bewußtseins, und wir wären arm dran, würden wir versuchen, dies abzuschütteln. Eine Elle für andere Staaten, sich daran zu messen, werden wir daraus nicht machen. Ebenso wenig freilich dürfen wir uns nach der Vereinigung aufgrund unserer besonderen geschichtlichen Erfahrungen nun zu Verantwortungsimperialisten emporstilisieren.

*Noch einmal zurück zu Ihren Empfindungen während der November-Wende: Hat die Einheit Deutschlands für Sie auch so etwas wie einen uneingelösten Traum bedeutet, wie das bei Willy Brandt der Fall war? Auch wenn er den Traum nicht für realisierbar hielt, so hatte er letztlich immer dieses Deutschland vor Augen. Würden Sie das ähnlich auch von sich sagen?*

Der politische Schwerpunkt meiner Gedanken und meiner Tätigkeit lag immer bei der Deutschland- und Ostpolitik. Dazu hatten natürlich eigene Lebenserfahrungen beigetragen. Jahrelang bin ich in Berlin zur Schule gegangen. Den ganzen Krieg über war ich Soldat, vor allem in Polen und Rußland. Meine Schwester war in Ostpreußen verheiratet. Der Bruder meines Vaters lebte in Breslau. Mein Gefühl, daß uns in der Bundesrepublik als Deutschen etwas Entscheidendes fehlt, wenn alle nachwachsenden Generationen gar keine eigene Anschauung mehr davon haben, wie eigentlich ein Deutscher aus Greifswald oder Bautzen spricht und empfindet, war bei mir besonders ausgeprägt.

Meine Jahre im geteilten Berlin haben dieses Gefühl verstärkt. Die Mauer war nicht nur ein brutales und unmenschliches Bauwerk, sondern sie war auch der klarste Widerspruch gegen ihre eigene Absicht. Sie sollte die Menschen daran gewöhnen, sich mit der Teilung abzufinden. Aber ich habe die Berliner Mauer immer als die überzeugendste, tägliche Widerlegung dessen empfunden, was sie bewirken sollte, nämlich die Trennung. Die Mauer war der eigentliche Beweis für die fortdauernde Zusammengehörigkeit der Deutschen. Daß sie keinen Bestand haben würde, habe ich deshalb auch über viele Jahre hinweg immer wieder ausgesprochen.

Die Zusammengehörigkeit war für mich kein Traum, sondern Lebensgefühl. Auch war mir bei der Deutschlandpolitik stets besonders deutlich bewußt, daß es für die friedliche Entwicklung in Europas Zukunft entscheidend darauf ankommen würde, ob wir Deutschen im Zustande der Teilung eine Zusammengehörigkeit empfinden und damit in der Lage sein würden, sie für das ganze Europa nutzbar zu machen. Gleichgültigkeit zwischen den beiden deutschen Staaten hätte doch bedeutet, den wichtigsten Motor für die Überwindung der unnatürlichen Teilung Europas ungenutzt zu lassen. Das Ziel der Vereinigung Deutschlands aber durfte auch nicht als ein national-egoistisches Projekt verfolgt werden, sondern als Ausdruck der Fähigkeit und des Willens zu einer kontinental europäischen friedlichen Annäherung. Auf diese Weise verband sich für mich menschliches Lebensgefühl in Deutschland mit politischer Zielsetzung. Aber die Gewißheit, daß eine staatliche Vereinigung der Deutschen zu meinen Lebzeiten kommen würde, habe ich ganz zweifellos nicht gehabt.

*In den frühen Achtzigerjahren gab es in der Bundesrepublik Berichte über das Alltagsleben der DDR, die auf sympathische Weise versuchten, den Westdeutschen die Wirklichkeit, aber auch die Mentalität ihrer ostdeutschen Landsleute näher zu bringen: Beschreibungen der sogenannten »Nischengesellschaft«, bei denen man zumindest heute, im Rückblick, den Eindruck einer gewissen Idyllisierung der damaligen DDR-Realität haben könnte. War die Wahrnehmung der DDR als »Nischengesellschaft« mit ihren privaten Rückzugsmöglichkeiten und kleinen Solidargemeinschaften eine Art Sinnestäuschung, oder ist dieses Phänomen der privaten Gegenwelt mit dem Staatssozialismus der DDR verschwunden?*

Ich bin zwar oft in der ehemaligen DDR und unzählige Male in Ostberlin gewesen, aber eine bündige Antwort auf Ihre Frage habe ich nicht. Von urteilsfähigen Deutschen in der DDR habe ich gelegentlich gehört, in der Spätzeit des SED-Regimes seien es höchstens noch fünf Prozent der Menschen gewesen, die das dortige System aus Überzeugung aktiv mitgetragen hätten. Eine noch spürbar kleinere Anzahl von Menschen hätte das Mögliche versucht, um sich dem Regime zu widersetzen. Die übrigen – also mehr als 90 Prozent – hätten unter den gegebenen Umständen ihr Leben so privat und human wie möglich zu führen getrachtet.

*Das Bild, das damals von wohlmeinenden Beobachtern vermittelt wurde, beispielsweise von Günter Gaus, lief im Grunde darauf hinaus, daß man »drüben«, in der ehemaligen DDR, das echtere, das authentischere Deutschland finden könne.*

Dazu fällt mir abermals Andrzej Szczypiorski ein. Er schildert seine unterschiedlichen Erfahrungen auf Reisen im geteilten Deutschland. Im Südwesten, in Baden erzählten ihm die Leute, sie führten ihr Leben wie die Elsässer. In Hamburg höre er, man sei eine Hansestadt und fühle sich über das Wasser primär verbunden mit anderen Meeresangrenzern. Habe aber der Besucher aus Polen den Wunsch, Deutsche zu sehen, dann müsse er schon in die DDR gehen.

Dennoch empfehle ich Vorsicht mit dem Begriff authentisch. Es war ja wahrlich nicht die Schuld der Deutschen in der DDR, daß sie quasi im eigenen Land eingesperrt waren. Und in der alten Bundesrepublik nutzten die Menschen zum Glück die sich ihnen bietende, wachsende Weltoffenheit, ohne deshalb ihr Wesen preisgeben zu müssen. Nur war eben von dieser Weltoffenheit gerade der anderen Teile Deutschlands weitgehend ausgeschlossen. Meine eigenen Kinder also, die im Rheinland großgeworden sind, kannten bis zum Jahr ’89 Vorpommern, Brandenburg oder Sachsen nicht, von Ostpreußen und Schlesien ganz zu schweigen.

*War das früher, zur Zeit Ihrer Kindheit, wesentlich anders? Kannten das Kinder, wenn sie im Rheinland aufwuchsen, das Pommerland? Und umgekehrt: Was wußte ein ostelbisches Kind vom »heiligen Köln« und vom Rhein?*

Das weiß ich nicht. Ich selbst, ohne aus Ostelbien zu stammen, habe als Kind das Rheinland nicht gekannt.

*Vielleicht ist das die Antwort.*

Wenn Sie so wollen, aber auch nur eine Teilantwort. Entscheidend ist, ob man als Deutscher mit dem Klang der verschiedenen heimischen deutschen Dialekte im Ohr aufwuchs oder nicht. Und das war eben im Zustande der Teilung ganz anders als während meiner Kindheit.

*Was halten Sie von der These, daß mit der Vereinigung in Deutschland die alten Teilungen, Differenzen und Brüche wieder aufleben?*

Wenig bis nichts. Was sind denn die alten Teilungen? Um nur ein Beispiel zu nennen: Daß die Bayern die Preußen nicht mochten, hatte reale, historische und machtpolitische Ursachen. Aber Preußen ist durch die Wiedervereinigung nicht neu erstanden. Und die Menschen aus Altötting und Stralsund haben nichts gegeneinander, auch wenn sie sich vielleicht sprachlich nicht immer auf Anhieb verstehen.

Die Frage ist doch vielmehr die, ob auch nach der Vereinigung Unterschiede fortbestehen, die ihre Ursache in den Erlebnissen und Zuständen der letzten vierzig Jahre der Teilung haben.

*Zu den kulturellen Aspekten der zwei Gesellschaften, die nun in einem Staat beisammen sind, hat Jens Reich im März 1991 – in seiner Rede zur Verleihung der Goethe-Medaille – gesagt, es sei durchaus möglich, »daß in einem Land zwei Gesellschaftsstrukturen nebeneinander bestehen« – mit zwei Kulturen und zwei Sprachen, wie er meinte. Er empfahl, darin einen Vorteil zu sehen und aus dieser besonderen »Spaltung« eine Tugend zu machen. »Wir sind nun einmal der Osten«, hat er gesagt, »wir sind Ostelbien, und dieser Teil Deutschlands mit seiner eigenen Sprache, Kultur und Tradition soll nicht im Tiegel geschmolzen werden. Es ist gut für Deutschland, wenn es die Spannung zwischen Ost und West auch in seinem Inneren fruchtbar aushalten kann.« Können Sie diesen Gedanken des Fruchtbarmachens einer solchen kulturellen Spannung in Deutschland für sich nachvollziehen, darin gar eine Chance und einen Weg für das Land sehen?*

Jens Reich zu hören und zu lesen, ist für mich immer interessant. Es ist gut für alle, wenn jeder seine eigene Sprache, Kultur und Tradition wahrt.

Doch liegt der wichtigste Schmelztiegel heutzutage in einem bestimmenden Einfluß der Telekommunikation, die es früher überhaupt nicht gab. Sprachliche Ausdrücke, Konsumwünsche, Unterhaltungsziele – alles wird weit stärker auf einen Nenner gebracht als zuvor. Dagegen den ortsansässigen Charakter zu wahren, wird schon beinah in sich zu einer Charakterleistung.

Dennoch gibt es ganz gewiß im vereinigten Deutschland prägende Unterschiede und auch Spannungen zwischen Ost und West, die sich aus den unvergleichlichen Schicksalen der Nachkriegszeit herleiten. Und es ist um so besser für das Ganze, wenn man dabei hin und her in beiden Richtungen etwas lernt, wenn also auch der Westen Einseitigkeiten seiner Erfahrungen und Gewohnheiten dabei besser verstehen lernt.

*Sie haben auf das Unvorhersehbare des 9. November 1989 bereits hingewiesen und von Ihrer eigenen Überraschung gesprochen. Wir kennen fast niemanden, der es anders von sich behaupten würde. Wie kam es aber zu dieser allgemeinen Überraschung? Außenpolitisch hatte man mit diesem Systemzusammenbruch so nicht gerechnet. Aber es hatte offenbar doch auch etwas mit unseren Identitätsgefühlen zu tun. Man könnte argumentieren: Die Spaltung Deutschlands war das Ergebnis eigener Schuld und ist auch so akzeptiert worden. Diese Vermutung, das andere Deutschland sei im Westen aus psychisch-politischen Gründen vergessen worden, hat einer der Linksintellektuellen der Republik, Peter Brückner, der mit der Teilung nie fertig wurde, folgendermaßen begründet: »Verlorenes Land ist verlorene Schuld.« Wir Westdeutschen hätten uns relativ leichten Herzens von Mecklenburg, Thüringen und Sachsen getrennt, weil wir uns damit insgeheim von unserer Vergangenheit abtrennen wollten. Für Brückner jedenfalls – er ist vor einigen Jahren gestorben – war das weit schlimmer als die Teilung selbst.*

Ich habe Mühe, so zu denken. Hätte Deutschland unter der Führung Hitlers nicht den Zweiten Weltkrieg herbeigeführt, dann wäre es nicht zur Teilung gekommen. Doch hatte die Teilung nicht den Charakter einer Bestrafung der Deutschen für ihre Schuld, sondern sie war eine Folge der machtpolitischen Konstellation und Konfrontation, des Vordringens der Sowjetunion in die Mitte Europas und der Gegnerschaft unter den Kriegsalliierten.

Eine Bestrafung war der Verlust der deutschen Gebiete jenseits von Oder und Neiße. Daß aber die Westdeutschen, wie Sie sagen, sich relativ leichten Herzens von den Gebieten der DDR innerlich getrennt hätten, das lag, soweit es überhaupt stimmt, an der gesamtpolitischen Ost-West-Zwangslage und daran, daß ihnen, den Westdeutschen, eine große neue Chance geboten wurde, die sie naheliegenderweise ergriffen. Aber im Westen zu leben und die Spaltung Deutschlands als das Ergebnis eigener Schuld zu akzeptieren, das hätte doch bedeutet, auf sehr billige Weise sich zu Lasten anderer, nämlich der Deutschen in der DDR, aus der Affäre zu ziehen. Und so habe ich es nie empfunden.

*Letztlich kann man, was den Westen angeht, nicht wirklich von einem Leiden an der Teilung und einem fortdauernden gesamtdeutschen Nationalgefühl sprechen, von Ausnahmen abgesehen. Muß man also nicht dennoch im Rückblick auf die Adenauer-Ära und die Jahre danach resümieren: In beiden Teilen des Landes hat sich fast alles – wie Brückner formulierte – »nach dem Prinzip der wechselseitigen Ausschließung organisiert, das erst ist die eigentliche Teilung«? Wir halten das für den politisch-psychologischen Kern des Teilungsproblems.*

Ich bin sehr gegen solche verallgemeinernden Analysen. Nehmen Sie Adenauer. Er ist sich zeit seines Lebens treu geblieben. Preußen hatte 1815 auf dem Wiener Kongreß Ansprüche auf Sachsen erhoben. Das wurde ihm aber unter maßgeblichem Einfluß der Engländer verweigert, die ein stärkeres Gegengewicht gegen Frankreich wollten und die Preußen daher nötigten, statt nach Sachsen, sich an den Rhein hin auszudehnen. Das war weder den Berlinern noch den Kölnern willkommen und so ist auch im Deutschen Reich zwischen ihnen keine vertiefte Freundschaft gewachsen. Man sollte aus solchen wohlverständlichen Gefühlen eines Kölners kein Organisationsprinzip der Ausschließung ableiten. Adenauer hat aus den sich bietenden Chancen einen Staat westlicher Werte und Prägungen gemacht, die uns nun heute im Zustand der Vereinigung aus der alten zwiespältigen Mittellage befreit. Das war eine gewaltige Leistung.

Andere Politiker, Jakob Kaiser, Gustav Heinemann, Willy Brandt, um nur wenige zu nennen, teilten nicht die Voraussetzungen Adenauers und trugen dennoch ihren ganz wesentlichen Teil zum politischen Weg und Gefühl der Deutschen bei.

Es ist klar, daß das Leiden an der Teilung im Westen ganz ungleich geringer war als im Osten, wie hätte es auch anders sein sollen? Andererseits war die durch die Teilung ausgelöste Spannung in der alten Bundesrepublik politisch stets präsent. Die Debatte über die Ostverträge Anfang der siebziger Jahre war das Leidenschaftlichste, was der Bundestag erlebt hat, nicht nur wegen des Verlustes der Gebiete jenseits von Oder und Neiße, sondern auch, weil man gerade nicht das von Ihnen zitierte »Prinzip der wechselseitigen Ausschließung« akzeptieren wollte, aber sich über den richtigen Weg dazu nicht einig war.

*Was war das Besondere dieser alten Bundesrepublik? In Ihrer Rede zur Heine-Preis-Verleihung haben Sie gesagt, im Osten fehle die Zäsur, die sich im Westen mit 1968 verknüpfe. Dies sei eine der großen, entfremdenden Differenzen zwischen Ost und West. Deshalb haben kritische Geister wie beispielsweise Patrick Süskind im Moment der*

*Vereinigung die Vorzüge der zivilen und liberalen Bundesrepublik besonders betont. Haben Sie Verständnis für diese Haltung zumal jüngerer Leute im Vereinigungsprozeß?*

Ich habe mich darüber gefreut, wenn jüngere Menschen in der Bundesrepublik Deutschland die Vorzüge ihres eigenen Staates allmählich entdeckten, darunter auch mancher, der in der Vergangenheit scharfe Kritik an den inneren Verhältnissen der Bundesrepublik geübt hatte. Warum soll es nicht gut sein, wenn junge Menschen sich mit ihrem Gemeinwesen im Westen identifizieren? Sie sind menschlich in eine liberale und internationale Zivilisationsgemeinschaft hineingewachsen. Sie möchten die gewonnene Weltoffenheit nicht verlieren. Warum sollten sie auch?

Die ganz allmähliche Entwicklung von einem reinen Ordnungsstaat zu einer demokratischen Bürgergesellschaft, wie wir sie in der alten Bundesrepublik erlebt haben, kann in den neuen Bundesländern nicht von heute auf morgen erwartet werden. Eine »Civil Society« ist in der gesamten postkommunistischen Region des ehemaligen Ostblocks einer der wichtigen aber schwierigen Prozesse. Aber auch im vereinigten Deutschland und in manchen westlichen Ländern bedarf sie der erneuten Belebung.

*Wäre die Chance für eine präzisere Definition dessen, was das vereinigte Deutschland sein sollte, größer gewesen, wenn man die Vereinigungsprozedur anders versucht hätte, nicht über den Artikel 23? Wären wir den Herausforderungen der Vereinigung besser gewachsen, wenn der Prozeß stärker nach Ihrer frühen Mahnung »Zusammenwach-*

*sen, nicht zusammenwuchern« verlaufen wäre? Letztlich war das Tempo des »Deutschland-Express«, wie »Time« es nannte, dann doch enorm hoch.*

Politische Prozesse sind, zumal in wahlabhängigen Demokratien, fast stets von Ungeduld geprägt, dagegen nicht von der Freude an präzisen Definitionen. Es gab schwerwiegende Gründe zu raschem Handeln: Einmal, wie schon erwähnt, die unaufhörliche Übersiedlung aus der DDR in die Bundesrepublik und sodann die klare und richtige Einsicht, daß es außenpolitisch rasch zu handeln gelte.

Der kurze und heftige Streit darüber, ob die Vereinigung aufgrund des Artikels 23 des Grundgesetzes vollzogen werden sollte, wurde schnell entschieden. Der Artikel 23 hat die prozedurale Seite der Vereinigung ebenso eindeutig erleichtert, wie die Einbeziehung des Gebietes der DDR in die Europäische Gemeinschaft, ohne belastende Formalitäten. Dagegen hat der Weg über Artikel 23 eine gründlichere Erörterung von Verfassungswünschen, die aus der DDR kommen, praktisch eliminiert. Verblieben ist statt dessen die Verfassungskommission aufgrund des Einigungsvertrages, und diese ist gemäß den Zahlen der Bevölkerung und der Länder zusammengesetzt, also westlich dominiert.

Zusammenwachsen, nicht zusammenwuchern – was mit dieser Mahnung gemeint war, begleitet uns doch weiterhin unaufhörlich. Vieles von dem, was rasch zusammenwucherte, gehört nicht zu den edelsten und stärksten Bestandteilen des westlichen Lebens: »Von der Montagsdemo zum Mittwochslotto«, wie es ein Kabarettist nannte; Boulevardblätter; Coca Cola; Wahlkampfwerbung. Das alles gehört zur Freiheit, jedenfalls zu ihrer Oberfläche, es ist nicht überzubewerten. Die Notwendigkeit raschen politischen Handelns war wohl begründet. Aber Zusammenwachsen vollzieht sich in einer tieferen menschlichen und geistigen Schicht. Das kann gar nicht über Nacht gelingen.

*Spielt es für dieses Zusammenwachsen nicht auch eine große Rolle, welches Maß an westlicher Solidarität mit dem Osten auf seinem schwierigen Weg der materiellen Anpassung spürbar wird?*

Das ist absolut entscheidend. Die Freude über den Fall der Mauer und die Vereinigung hat historisches Ausmaß. Halten auch Bereitschaft und Fähigkeit zum fälligen Lastenausgleich zwischen West und Ost diesen geschichtlichen Maßstäben stand?

Dazu müssen wir nun die wirtschaftliche Lage näher betrachten, wie sie sich noch im Zustand der Teilung entwickelt hat. Die alte Bundesrepublik war zu einem partnerschaftlich eingebetteten Weststaat geworden, voller wirtschaftlicher Erfolge, mit gewachsenem Ansehen in der Welt und um ihrer Friedfertigkeit und Berechenbarkeit willen respektiert. Die Menschen hatten und haben den völlig legitimen Wunsch, daß sich diese positive Lage durch die Vereinigung nicht verschlechtern solle. Hat dies nun auch mindestens vorübergehende Folgen für den privaten Wohlstand der Westdeutschen, der so hoch ist wie noch nie zuvor und natürlich unvergleichlich viel höher als im Osten? Anders gesagt, hat die Status-quo-Utopie des Westens, wie sie gelegentlich genannt wird, eine Chance?

Betrachten wir einige Wirtschaftsdaten. Wenn es im Jahre 1992 zu einem Wachstum von 2 Prozent kommen sollte – das ist eine gegenwärtig wahrscheinlich eher zu optimistische Prognose –, dann wird dies zu einer Wertschöpfung zwischen 50 und 60 Milliarden DM führen. Zugleich werden wir für den weiteren Einigungsprozeß öffentliche und private Transferleistungen in Höhe von ungefähr 200 Milliarden DM im selben Jahr benötigen. Es muß also zu ganz anderen Verteilungsentwicklungen kommen, als wir sie in der alten Bundesrepublik gewöhnt sind.

*Weshalb die alte Bundesrepublik und ihre Länder sich an Besitzständen festklammern.*

Mindestens zum Teil. Bisher waren die jeweiligen politischen Führungen in der alten Bundesrepublik gewohnt, sich gegenüber der Bevölkerung durch Verteilung unseres Wachstums in der Gestalt von Einkommenszuwächsen und gestiegenen Sozialleistungen zu legitimieren. Wenn es aber ungefähr stimmt, was ich soeben zum Wachstum, zur Wertschöpfung und zu notwendigen Transferleistungen in diesem Jahr genannt habe, dann heißt dies, daß uns die Masse zur Verteilung nicht zur Verfügung steht, die wir bisher in unserer Geschichte der alten Bundesrepublik zur Verfügung hatten. Anders gesagt: Wenn wir es mit der Vereinigungssolidarität ernst nehmen, müssen sich Verteilungskämpfe im Westen mehr auf die Abwehr von Einkommensverlusten als auf den Zuwachs von Einkommensanteilen beziehen. Oder noch anders gesagt: Es muß eine Auseinandersetzung zwischen einer politischen Führung sein, die die notwendigen Transferleistungen von West nach Ost durchsetzen muß, und den Lohn- und Gehaltskämpfern im Westen, welche sagen, daß zwar der Osten etwas bekommen muß, aber daß es nicht der Bürger im Westen sein soll, der es gibt.

Nun kommt noch etwas anderes hinzu. Im Westen befinden wir uns bei höchstens 2 Prozent Wachstum und unter Einschluß der Inflationsrate und der Arbeitslosenzahlen eher im Zustande einer Stagnation als einer Wachstumsdynamik. In den neuen Bundesländern dagegen rechnen wir über mehrere Jahre hinweg mit Wachstumsraten von bis zu 10 Prozent, wenn auch auf weit niedrigerer Ausgangsbasis. Damit verbinden sich unterschiedliche Bewußtseinszustände in der Bevölkerung: Dort Wirtschaftsdynamik, hier Kampf gegen befürchtete Wohlstandsverluste.

Sodann ist auch die außenwirtschaftliche Lage mit in Betracht zu ziehen. Wir haben erstmals seit langem eine passive Leistungsbilanz. Wir haben ein hohes Haushaltsdefizit. Wir sind ein Kapitalimportland geworden. Mit anderen Worten: Unsere Ersparnisse reichen nicht ganz, um unser Defizit zu finanzieren. Wir trösten uns damit, daß es von allen Teilnehmerstaaten der Weltwirtschaftsgipfelkonferenz nur die Japaner besser machen.

Gleichzeitig ist mit Händen zu greifen, daß die Anforderungen an uns sich nicht auf den Vereinigungsprozeß im eigenen Land beschränken. Unsere den eigenen vitalen Interessen entsprechenden Verpflichtungen gegenüber unseren östlichen Nachbarn bis hin zu mehreren Republiken der ehemaligen Sowjetunion werden unsere finanzielle Lage auf Jahre hinaus nachhaltig beeinflussen. Die ganze Außenwelt beobachtet mit Argusaugen, wie es auf diesem Gebiet in Deutschland weitergeht. Es mag ja sein, daß das Ausland sich an den notwendigen Folgekosten zur Unterstützung der Reformprozesse am Ende des Kalten Krieges oft aus egoistischen Gründen viel zu wenig beteiligt. Aber nirgends wird die Lage besser, wenn wir in Westdeutschland die elementare Bedeutung eines großen Lastenausgleichs im Zuge der Vereinigung und –

im Rahmen des Möglichen – die Unterstützung der Reformprozesse weiter im Osten nicht genügend verstehen, den privaten Wohlstand möglichst ganz unberührt lassen wollen, die Verteilungskämpfe fortsetzen und dadurch am Ende auch die Stärke der führenden europäischen Währung, nämlich der deutschen Mark gefährden, also den weiteren europäischen Integrationsprozeß in Mitleidenschaft ziehen.

Wir nähern uns in unserer öffentlichen Debatte erst mit erheblicher Verspätung der Erkenntnis der Themen, um die es langfristig in unserem ureigensten Interesse wirklich geht.

*Das war offenbar das Anfangsproblem der operativen Phase der Vereinigungspolitik, daß die westdeutsche Gesellschaft die einschneidenden Veränderungen eigentlich nicht gemerkt hat und auch nicht gezwungen wurde, sich die ökonomische Tragweite des deutschen Einigungsprozesses hinreichend klarzumachen. Ebensowenig war sie darauf vorbereitet, was darüber hinaus die Veränderungen in Europa generell – nicht zuletzt ökonomisch – bedeuten werden.*

Zweifellos. Ein frühzeitiges, klares Signal durch die politische Führung, daß das historische Ereignis der Vereinigung von einem längerfristigen finanziellen Beitrag des Westens zugunsten des Ostens ebenfalls in historischem Umfang zu begleiten sein werde, und daß dies nicht aus den Wachstumsgewinnen oder durch ein erhöhtes Haushaltsdefizit geleistet werden könne, das hat einfach gefehlt.

Aufs Ganze gesehen wären die Bürger der alten Bundesrepublik aufgrund ihres Wohlstandes in der Lage und auch zur Einsicht bereit gewesen, daß dies gegenüber den

Deutschen in der DDR, die es in der ganzen Nachkriegszeit so unvergleichlich viel schwerer gehabt hatten, auch angemessen und gerecht gewesen wäre. Das Signal blieb aber aus Gründen, die ich hier nicht näher erörtern will, solange aus, bis sich eine andere Stimmung im Westen entwickelt hatte. Man war ja zunächst materiell eher in Sicherheit gewiegt als auf Opfer vorbereitet worden. Dann fing man mit einiger Verzögerung an, der Sache zu mißtrauen und begann sich gegen jetzt befürchtete Opfer zu wehren. Diese Haltung kam in den Tarifauseinandersetzungen der ersten Hälfte des Jahres 1992 zum Ausdruck.

In der alten Bundesrepublik hatte es bald nach dem Krieg zugunsten der Heimatvertriebenen aus den Ostgebieten einen großen Lastenausgleich nicht aus dem Einkommen, sondern aus dem Vermögen gegeben, und dies zu einer Zeit, als der Wohlstand im Westen noch weit weniger als heute verbreitet war. An der Bereitschaft zu vergleichbaren Leistungen, die auch die meisten privaten Haushalte berühren, wird sich vieles für den Vereinigungsprozeß entscheiden, nicht nur für den materiellen Erfolg, sondern auch für das innere Zusammenwachsen. Denn so richtig die Aussage auch ist, daß man im Westen für den erreichten Wohlstand jahrzehntelang hart gearbeitet hat, so geschah dies doch in voller Freiheit unter der Gunst der internationalen Lage, mit starker anfänglicher Unterstützung durch den Marshall-Plan und mit Hilfe der Dynamik des sich öffnenden Marktes der Europäischen Gemeinschaft. Das alles waren Bedingungen, die im Osten ohne Schuld der Menschen gefehlt hatten. Und was hat es für einen Sinn, daß wir in unser Grundgesetz geschrieben hatten, wir würden auch für jene Deutschen handeln, denen die Mitwirkung versagt war, wenn wir das im Westen nun so auslegen, daß die Arbeit für unseren Wohlstand nur für uns alleine gedacht war?

*In Kurzform müßte die Botschaft vermutlich lauten: Zieht einen Strich unter den Wohlfahrtsstaat, wie ihr ihn kennt, er wird in dieser Form nicht mehr möglich sein. Um dies der westdeutschen Öffentlichkeit zu verkünden, kurz nachdem man zum 40. Geburtstag der – alten – Bundesrepublik eine relativ zufriedene Bilanz gezogen hat, bedürfte es enormen Muts in der Politik.*

Ja, aber warum denn nicht? Freilich nicht mit Pauschalattacken gegen den Wohlfahrtsstaat. Im Mai 1989, zum 40. Geburtstag der alten Bundesrepublik, war der Mut nicht gefragt. Denn wir hatten ja gar nicht die Kraft vorherzusehen, was in wenigen Monaten geschehen würde. Aber später? Nach dem Fall der Mauer, und dann zusammen mit dem Vollzug der staatlichen Einheit Anfang Oktober 1990? Es war doch öffentlich und rechtzeitig nach der Schweiß- und Tränenrede gefragt worden. Beim Staatsakt am 3. Oktober 1990 hatte ich klar gesagt, daß wir die deutsche Einheit nicht mit hochrentierlichen Anleihen alleine würden finanzieren können und daß es ein Irrtum sei anzunehmen, es käme nur auf die Verteilung der Zuwächse an und niemand solle etwas genommen werden. Daß anwesende Politiker verstanden, wovon die Rede war, merkte man am Gemurmel im Saal. Aber – es war Wahlkampfzeit.

Jetzt ist es schwerer geworden, aber gewiß nicht unlösbar. Entscheidend bleibt ein Zusammenwirken aller Teile, also öffentliche Hand, Tarifparteien und privater Sektor. Bund, Länder, Gemeinden müssen und können konzertiert handeln. Ihr Beispiel muß sich auch auf die Tarifparteien auswirken. Es ist begreiflich, daß die Gewerkschaften auf die Gewinne westdeutscher Unternehmer verweisen, die diese in den letzten zweieinhalb Jahren dadurch erzielt haben, daß die private Kaufkraft in den neuen Bundesländern durch Transferleistungen aus öffentlichen Haushalten gesteigert worden ist. Dennoch ist Zurückhaltung bei den Lohn- und Gehaltszuwächsen unumgänglich und man sollte den Gewerkschaften die Mitwirkung daran nicht erschweren, indem man für denselben Zeitraum an Erleichterungen in den Unternehmensbesteuerungen gedacht und zu früh und undifferenziert von der Kurzfristigkeit von Solidaritätsabgaben gesprochen hat. Und was die privaten Haushalte anbetrifft, so ist daran zu erinnern, daß sich im Lauf der letzten 40 Jahre das private Vermögen in der westdeutschen Bevölkerung ungefähr verfünffacht hat, während man in den neuen Bundesländern von einem Null-Wachstum wird ausgehen müssen.

*Vielleicht sollte man die Politik zumindest an dieser Stelle ein wenig in Schutz nehmen. Schließlich spüren manche Leute die Einschnitte schon sehr konkret, zum Beispiel Rentner. Alle, die am politischen Prozeß als Institutionen teilnehmen, haben angesichts der bestehenden Probleme begründete Angst, die Loyalität ihrer Anhängerschaften zu verlieren. Das gilt für die Gewerkschaften, das gilt ähnlich für die Parteien, das gilt an sich für jede Organisation, es gilt in gewisser Weise auch für die Medien. Ist denn nicht jede demokratisch strukturierte Organisation zur Zeit überfordert?*

Es ist eine schwierige Lage für alle, nicht zuletzt deshalb, weil wir im Westen eine zwar tüchtige, aber zugleich auch anspruchsvolle und verwöhnte Gesellschaft geworden sind, selbstverständlich mit großen Unterschieden in den verschiedenen Gruppen. Aber in der Lage, in der wir uns mit der Vereinigung Deutschlands und den auch für uns so wichtigen Reformprozessen östlich von uns befinden, können wir uns nicht für überfordert erklären und damit quasi kapitulieren. Die Vorreiterrolle liegt ganz eindeutig bei der Politik. Mit ihrem Beispiel geht es darum, gemeinsames Handeln zu bewirken.

*Die Politik hat ihre Vorreiterrolle, von der Sie sprechen, zu ganz anderem benutzt. Sie hat in der ehemaligen DDR ein besonderes Modell der Vereinigung vorexerziert, die »Abwicklung«, und die Parteien haben sich nach Ostdeutschland ausgedehnt. War das nicht geradezu das Gegenteil von dem, wofür Sie plädieren?*

Meine Forderung bezieht sich auf die Zukunft, Ihre Rückfrage auf die Vergangenheit. Lassen Sie uns beides miteinander verbinden.

Im Spätherbst 1989 war niemand auf die kommenden Ereignisse vorbereitet, weder geistig noch politisch oder wirtschaftlich. Niemand wußte damals, was man machen mußte, um alles richtig zu machen. Heute, 30 Monate später, sind wir ein klein bißchen klüger, um einige Lehren zu ziehen, aber doch nicht um der Rechthaberei willen, sondern weil wir um der Zukunft willen dringend darauf angewiesen sind, Schwächen zu überwinden.

Bald nach dem Fall der Mauer hat die politische Führung Entscheidendes richtig gemacht – allem voran die Einleitung und erfolgreiche Beendigung des »2+4«-Prozesses, mit anderen Worten: Die friedliche staatliche Vereinigung der Deutschen unter Zustimmung der vier Mächte und aller Nachbarn, und ohne Rückkehr des vereinigten Deutschlands in seine alte, zu zwiespältigen nationalen Alleingängen verführende politische Isolierung und Mittellage, sondern eingebunden in Gemeinschaft und Allianz.

Begleitet wurde dieser große Erfolg von einem wichtigen Versäumnis: Dem Appell zu einem wahren Lastenausgleich und der Bereitschaft zu einer gesunden Selbstprüfung weit über das Materielle hinaus.

Die ersehnte Freiheit war da. Daß sie bald zum Reisen und Einkaufen benutzt wurde, soweit Mittel vorhanden waren, das war völlig natürlich. Konsumaskese zu erwarten oder gar aus dem Westen zu predigen, wäre ganz heuchlerisch gewesen. Aber wie stand es mit der politischen und gesellschaftlichen Mitgestaltung der Zukunft? Man hatte in der freigewordenen DDR kaum Kräfte und Zeit, um sich dafür zu organisieren. Unter der Vorherrschaft des Siegesgefühls machte sich der Westen an die Arbeit, eine gewaltige administrative Leistung. Einigungsvertrag ja, aber inwieweit war die DDR als Einigungspartner dabei konzeptionell wirklich vertreten? Sie erhielt den amtlichen Taufnamen »Beitrittsgebiet«. Begriffe sagen genug.

Das erste, was noch vor der harten Währung in der freigewordenen DDR zur Geltung kam, war das westdeutsche Parteiensystem. Bei den vier Wahlkämpfen in der ehemaligen DDR während des Jahres 1990 wirkten politischer Erfahrungsmangel im Osten und der vollmundige, alles überfahrende westliche Wahlkampfstil so zusammen, daß nun im Osten nachträglich Enttäuschung verbreitet ist. Daß aber gerade im ersten Zuge der Vereinigung geistig-politische Bestandsaufnahme, Reflexion und Konzeption not tat, darin zeigte sich unser politisches System überfordert. Nun gilt es daraus zu lernen.

*Nun sagen Sie auch, daß es eine Ermattung der Bürgergesellschaft gibt, nicht erst seit 1989. Möglicherweise ist es vielmehr ein Prozeß, der schon über Jahrzehnte andauert. Rückblickend muß man sagen: Das war Westdeutschland in seinem Status-quo-Denken und seiner Selbstzufriedenheit, Westdeutschland, das den kritischen Stachel und die Frage nach sich selber, nach der eigenen Politik verloren hatte. In diesen Zustand hinein platzte die Vereinigung.*

Die alte Bundesrepublik hatte sich zu einem friedlichen und wohlhabenden Land, einem Rechtsstaat mit sozial abgesicherter, wirtschaftlicher Leistungsfähigkeit entwickelt. Nun führt wachsender Wohlstand erfahrungsgemäß zu wachsender Sorge um seine Erhaltung, so wie die Hauptsorge einer machtvollen Partei oder Koalition im Verlust dieser Position besteht. Sorgen dieser Art können schwach machen und man ist bemüht, sich gegenseitig zu stabilisieren. Mit Populismus wird die Fortdauer des gegenwärtigen materiellen Glücks zugesagt und die erwartete Gegenleistung lautet Machterhalt. Aber wie kommt es bei diesem Wechselspiel zur hörbaren Stimme von Schwachen, zur ernsthaften Prüfung unseres Umgangs mit den Ressourcen der Natur, zur Auswirkung unseres heutigen Lebens auf die Zukunft?

Ich bleibe bei der Meinung, daß die Politik eine Vorreiterrolle auszufüllen hat. Doch ist dies auch abhängig vom Geist und der Vitalität der Gesellschaft im Ganzen. Welche Impulse kommen aus den großen Gruppen und Verbänden unserer Gesellschaft, aus der Wissenschaft und Kunst, den Kirchen? Wie reagieren sie in dem doch auch für sie so bedeutungsvollen Einschnitt, den die Vereinigung Deutschlands darstellt? Haben sie die Kraft, die Gelegenheit der Einbeziehung des »Beitrittsgebiets« auch zu einer Selbstprüfung zu benutzen? Hat der Westen, wenn er nun den Osten überall durchorganisiert, gar nichts zu lernen, etwa im Bereich des Gesundheitswesens, der Kindergärten, der unaufgelösten Spannung zwischen Familie und Beruf für die Frau, der Forschung und Lehre in der Wissenschaft?

Gerade die Wissenschaft ist ein lehrreiches Beispiel. Es wird »evaluiert«, »abgewickelt«, »überführt«. Die Forschung war bekanntlich in der alten DDR ganz anders strukturiert als im Westen. Hier hat der Wissenschaftsrat eine sehr schwierige und alles in allem eindrucksvolle Leistung vollbracht, mit der es in die Zukunft gehen kann. Noch schwieriger ist es an den Hochschulen mit den Fragen nach wissenschaftlicher Leistungsfähigkeit und dem Ausmaß politischer Verstrickung, wobei es gewiß nicht immer gerecht ist, Naturwissenschaftler a priori für unverdächtig, Geisteswissenschaftler dagegen bis zum Beweis des Gegenteils für belastet anzusehen.

Aber vor allen Dingen wichtig ist es, anhand dieser Vereinigungsaufgabe nun endlich auch im Westen zu einer ernsthaften Diskussion über den Zustand unserer Universitäten und Hochschulen vorzudringen.

*Die Frage nach der Abwicklung im westdeutschen Wissenschaftsbetrieb wird schon gestellt.*

Nicht schon, sondern endlich! Auf der Jahrestagung der Deutschen Forschungsgemeinschaft 1991 in Konstanz hat es ein Kultusminister öffentlich ausgesprochen. Leider haben es die Medien gar nicht aufgenommen. Doch ist es dringend nötig, daß die Vereinigung uns über westliche Unbeweglichkeit hinweghilft. Nicht nur aus Gründen der Gerechtigkeit ist Besinnung und Reform auch im Hochschulwesen der alten Bundesrepublik wahrlich an der Zeit.

Zusammenwachsen wird gelingen, wenn wir uns zusammen besinnen, in Ost und West, und wenn keiner es ausschließt, sich selbst zu überprüfen.

*Sie haben eine große Volksaussprache empfohlen über die Vergangenheit, die 40 Jahre DDR und die Teilung. Diese Debatte hat auf sehr lebhafte Weise begonnen. Es sieht so aus, als sei sie teils aufklärend, teils unversöhnlich mit allen schwierigen Folgen. Besonders die »Stasi-Vergangenheit« steht im Zentrum, seit das Stasi-Unterlagen-Gesetz den Zugang zu den Akten erlaubt. Die Einblicke zerreißen Freundschaften und Familien. Im Westen blickt man ziemlich hochmütig auf die »Spitzelgesellschaft« im Osten. Sind Sie gleichwohl der Ansicht, durch diese Etappe muß man hindurch, auch wenn es passiert, daß die Erfahrungen und Erkenntnisse zunächst einmal teilen und schmerzen?*

Die Frage beantwortet sich durch die tägliche Entwicklung von selbst. Wir befinden uns mitten in der großen Aussprache. Sie ist voller Härte und Schmerzen, voller Erkenntnisse und Irrtümer – eine schwere Probe für Wahrheitsliebe, Menschlichkeit und Lernbereitschaft.

Ein allgemeines Muster für den Umgang mit der kommunistischen Vergangenheit im weiten Machtbereich der ehemaligen Sowjetunion gibt es überdies nicht. Die Unterschiede von Land zu Land sind groß. Die Akten der geheimen Sicherheitsorgane öffentlich zugänglich zu machen und bis in die privaten Beziehungen der Menschen untereinander auszuwerten, das gibt es, soweit ich weiß, bisher nur bei den Deutschen.

*Andrzej Szczypiorski, der polnische Autor und Senator, urteilt, das sei »idiotisch« und »masochistisch«. Die Deutschen seien zu gründlich, sowohl wie sie die Millionen Akten angelegt hätten, als auch wie sie sie jetzt überbewerteten.*

Ich kann das zunächst nur zur Kenntnis nehmen. In der alten Sowjetunion richtete sich die Hoffnung auf Glasnost und Perestroika, nahezu ausschließlich auf das, was wir Reformkommunismus nennen. Die heutigen Präsidenten der selbständig gewordenen Republiken Rußland, Ukraine und Kasachstan, um nur Beispiele zu nennen, gehörten wie der Reforminitiator Gorbatschow zur führenden Schicht der alten KPdSU. In Polen und der Tschechoslowakei hatte es über 10 Jahre lang einen organisierten Widerstand gegeben, der in Walesa und Havel seine Exponenten hervorgebracht hatte. Wieder anders war es in Ungarn, wo mit den ersten Reformansätzen durch die kommunistische Führung schon Ende der 50er Jahre begonnen worden war.

In der DDR war alles etwas anders. Nie konnte die kommunistische Führung dort die nationalen Interessen vertreten, sie hatte sich ja ständig mit der nationalen Alternative in der Bundesrepublik auseinanderzusetzen, vermittelt durch Reisen, Radio und Fernsehen. Das System der Staatssicherheit war keine spezifische Folge des deutschen Charakters, auch wenn die Aktenführung umwerfend gründlich ist, sondern ein der Führung notwendig erscheinendes Disziplinierungsinstrument angesichts der für sie bedrohlichen, ständigen Verführung ihrer Bevölkerung eben durch die nationale Alternative im Westen.

So ist es nun auch zu einem Alleingang der Deutschen im Umgang mit der Vergangenheit und ihren Beweismitteln gekommen. Die Bürgerkomitees und Bewegungen hatten eine große Stunde, als sie sich zum Teil handgreiflich gegen Verschluß, Abtransport oder Vernichtung der Akten gewehrt haben. Das war ein elementares Bedürfnis gerade derjenigen, die als Opfer unter dem früheren Regime besonders gelitten hatten, wie auch jener, die sich aktiv und risikovoll für die Wende eingesetzt hatten. Schwache Versuche, mit administrativen Maßnahmen oder Beschlüssen des Gesetzgebers einen raschen Schlußstrich unter die Vergangenheit zu ziehen, waren von vorneherein zum Scheitern verurteilt.

Das Stasi-Gesetz ist nun seit längerer Zeit in Kraft. Stets bin ich davon überzeugt gewesen, daß ein Schluß der Debatte weder gefordert werden soll noch durchgesetzt werden kann. Um so wichtiger sind Maßstäbe für die Behandlung und Bewertung der Unterlagen. Denn noch sind Mißtrauen und Bereitschaft, jedem fast alles zu unterstellen, verbreitet. Viele Unbeteiligte, zumal auch aus dem Westen, streiten und kommentieren mit. Es gibt neubelebte alte Kontroversen und, wie immer, die menschliche Gefahr der Selbstgerechtigkeit.

*Auch die Bereitschaft, alles zu glauben, was man so hört und liest.*

Das ist zunächst auch schwer zu vermeiden. Wir haben zur Zeit ja einen seltsamen Zustand. Die politische Führung des vereinigten Deutschland befindet sich nach wie vor praktisch ausschließlich in Bonn. In der künftigen Hauptstadt Berlin dagegen sind diejenigen beiden Behörden, die sich mit den schwierigsten und wichtigsten Aufgaben der Vereinigung auseinandersetzen müssen: Die Treuhandanstalt und die Gauck-Behörde, in ihrer Thematik natürlich unvergleichbar. Hier beschäftigt uns jetzt die Gauck-Behörde. Sie erregt zuweilen den Eindruck, als wäre sie für die Vergangenheit zugleich Ankläger, Zeuge und Richter. Dies will Gauck in keiner Weise.

Wir haben es jedoch mit großen Verständnisschwierigkeiten zu tun. Bisher sind die Machtstruktur der alten DDR, das Herrschaftssystem der SED und das Rechtssystem, das sie als Instrument benutzte, nicht angemessen erforscht. Es gab Unrecht und schweres Leid. Doch ist es schwer, mit westlichem Rechtsstaatsdenken und mit allgemeinen Grundsätzen von Menschenrecht, Moral und Anstand zu einer hinreichend gerechten Bewertung zu kommen, wer wofür und in welcher Weise haftbar zu machen ist.

Das einzige, was schwarz auf weiß vorliegt, sind die unsäglichen Stasi-Akten. Jeder hat inzwischen den Begriff »IM« gelernt. Doch gab es offenbar willige und unwillige, böse und verhaltene, bewußte und unbewußte »IM«. Bedarf es nur eines »IM«-Karteinachweises, um jemanden ohne weitere Bewertung oder gar Anhörung aus seiner Lebensbahn zu werfen, ein Verfahren, das es sonst bei uns gar nicht gibt? Der strafrechtliche Verfolgungsprozeß schützt bekanntlich den Angeklagten als unschuldig bis zum Beweise seiner Schuld.

*Ein solcher Verdachts-Prozeß aufgrund der Stasi-Akten verkennt auch das Recht auf Irrtum. Eugen Kogon hat das sogar schon im Jahr 1947 gesagt, es gebe ein Recht auf politischen Opportunismus und Irrtum. Für 1947 ein erstaunliches Wort, gerade aus dem Mund von Kogon.*

Eugen Kogon ist ein wichtiges Beispiel. Er hat frühzeitig und maßgeblich dazu beigetragen, die Struktur des Nationalsozialismus zu erhellen, ohne damit gleichzeitig Menschen oder Menschengruppen zu verurteilen, zumal nicht solche aus dem zweiten oder dritten Glied. Wir müssen aufpassen, daß wir es nicht umgekehrt machen.

Der Bundesgerichtshof hat bereits ausgesprochen, daß Stasi-Akten ein Indiz seien, aber damit noch nicht notwendigerweise der Beweis schlechthin. Rainer Eppelmann hat nach Lektüre seiner voluminösen Stasi-Akten gesagt, er sei nun schlauer, aber ärmer geworden. Egon Bahr hat dies aufgegriffen und variiert, indem er sagte: »Ist das alles, sollte das alles sein, was geblieben ist? Wird das Ergebnis für unser Land sein, nach dem Ende des Stasi-Kapitels ärmer, schlauer, aber nicht mal klüger?«

*Sie sind skeptischer geworden nach den ersten Erfahrungen?*

Schlechte Erfahrungen zu machen gehört zum notwendigen Lernprozeß. Bischof Christoph Demke aus Magdeburg schrieb neulich: »Wir haben einen neuen Heiligen, St. Asi. Wer hätte das gedacht, in dieser gottverlassenen Zeit. Oder ist der Heilige selbst ein Produkt der Gottvergessenheit bei Nichtchristen und Christen? Seine Schriften jedenfalls werden hoch geehrt. Rechtsstaatliche Grundsätze werden ihm bedenkenlos geopfert. Seine Diener unterscheiden sich im Umgang wohltuend von den angstschlotternden Mitgliedern alter kompromittierter Kirchenleitungen. Mit seinen Reliquien läßt sich gefahrlos mehr Geld verdienen als in der anstrengenden Nachfolge zu seinen Lebzeiten. Mancher Journalist, Professor weiß das zu schätzen...« Die Entstehung dieses Textes liegt wohl schon einige Zeit zurück. Doch gehört auch er zur großen öffentlichen Aussprache. Ich habe

Vertrauen dazu, daß die Person und die Behörde Gauck sich der zugleich wichtigen und begrenzten Bedeutung ihres Materials bewußt sind und verantwortlich damit umgehen.

*Sie selbst haben, zurückblickend auf die erste, frühe Vergangenheitsdebatte der deutschen Nachkriegsgeschichte, den Begriff »Heilschlaf« benützt, den es offenbar gegolten habe, hinter sich zu bringen. Das betraf die NS-Zeit. Würden Sie das der deutschen Gesellschaft heute empfehlen?*

Den Begriff habe ich von meinem Bruder Carl Friedrich gelernt. Übertragbar auf unsere heutige Aufgabe ist er nicht. Damals, nach dem Ende der Nazizeit, und inmitten aller menschlicher und materieller Zerstörung, fehlte die Kraft, alsbald der schrecklichen Vergangenheit ins Auge zu sehen. Heute liegen andere Schwierigkeiten vor. Noch fehlen grundsätzliche Strukturerkenntnisse, gleichzeitig beschäftigen wir uns intensiv mit höchst sprechenden Ausschnitten von Beweisindizien und benutzen sie zur Entscheidung über menschliche Verwendungsfragen und leider auch ein wenig über Machtfragen.

*1949, in gewissem Sinne 1968, und auch wieder 1989 sind jeweils Neuanfänge. Alle hatten auf ihre Weise mit dem Aufarbeiten von Vergangenheit zu tun. Wie weit, meinen Sie, sind die Deutschen in den verschiedenen Etappen bis heute damit gekommen?*

Ich empfehle Vorsicht bei dem Versuch, das alles auf einen Nenner zu bringen. Die Unterschiede der beiden

Diktaturen liegen auf der Hand. Die Mehrheit der deutschen Bevölkerung ist nicht mit Gewalt in die nationalsozialistische Herrschaft hineingezwungen worden. Das Hitler-Regime wäre wohl bei einer klügeren Haltung der Sieger des Ersten Weltkrieges, bei einem gefestigteren Demokratiewillen in der Weimarer Zeit und ohne die schwere Arbeitslosigkeit am Anfang der 30er Jahre nicht gekommen. Es ist aber in Deutschland entstanden. Die Diktatur der SED dagegen wurde von außen aufgezwungen. Die Bevölkerung wurde nicht gefragt, sondern zum Mitmachen genötigt. Das hat ganz andere Probleme der Anpassung mit sich gebracht, doch zur Anpassung an unabänderliche Verhältnisse neigen Lebewesen.

*»Hitler brauchte keine Mauern«, lautet ein aktueller Aphorismus des Historikers Eberhard Jäckel, der aufklärende Vergleiche verlangt, aber Gleichsetzungen für falsch und fatal hält.*

Beide Diktaturen haben die Freiheit unterdrückt und sind doch ganz unvergleichbar. Die SED hat keinen Krieg begonnen und keinen Holocaust zu verantworten. Dafür hat sie mit dem System der Staatssicherheit ein besonders umfassendes und unmenschliches System der Überwachung und Beeinflussung geschaffen. Es hat eine Gemengelage von Zwang, Druck, Versuchung, Bereitschaft und auch vorauseilende Anpassung mit sich gebracht.

Im Ergebnis bleibe ich dabei, daß wir weder das Recht noch die Möglichkeit haben, den eingeschlagenen Weg zur Arbeit an der Vergangenheit mit juristischen, politischen oder moralischen Mitteln abzubrechen. Ein Charakteristikum der Stasi-Akten ist, daß sie mit lauter persönlichen, privaten, mitmenschlichen Erlebnissen und Beziehungen zu tun haben. Damit wird aber auch ein besonders wichtiges Ziel deutlich. Politische und rechtliche Konsequenzen aus den Akten sind die eine Sache. Eine andere, noch wichtigere ist der menschliche Frieden untereinander. Ohne Anstrengung um die schwierige Wahrheit der Vergangenheit werden wir ihn kaum erreichen. Das Schwierige an der Wahrheit ist aber nicht nur die Aufdeckung der Sachverhalte, sondern das menschliche Ziel der ganzen Anstrengung, nämlich Verständigung untereinander, Versöhnung. Wahrheitssuche ohne Absicht und Aussicht auf Verständigung und Versöhnung ist unmenschlich.

*Wenn wir durch sind, salopp gesprochen, war das heilsam?*

Das wird sich zeigen. Je mehr wir uns mit dem menschlichen Ziel des Verstehens bemühen, desto größer ist die Chance dazu. Deshalb ist die Anstrengung so wichtig.

*Was antwortet man so klugen Leuten wie Szczypiorski, wenn sie staunend fragen: »Seid Ihr verrückt geworden, was macht Ihr da?« Was sagt man spanischen Intellektuellen, die darauf hinweisen, daß sie mit dem Erbe der Franco-Zeit viel ruhiger und gelassener umgegangen sind? Was sagt man denen, die es ja eigentlich gut meinen oder die fürchten, wir trügen unsere Vergangenheit wie ein Schild vor uns her, manchmal sogar, um andere im Umgang mit der eigenen Schuld Mores zu lehren?*

Wer belehrt hier wen? Wem sollen die Parallelen helfen? Die Fälle sind so schwer vergleichbar, wie die Charaktere natürlich auch. Die Italiener sind mit dem Faschismus in einer vollkommen anderen Weise fertig geworden als die Deutschen mit dem Nationalsozialismus. Die Franzosen haben die Résistance-Probleme anders behandelt als die Holländer.

*Und die Kollaboration.*

Richtig, die Résistance und vor allem die Kollaboration. Und den spanischen Bürgerkrieg und die Art und Weise, wie die Spanier aus ihm und der Franco-Zeit in die konstitutionelle Monarchie und die Gonzales-Demokratie hineingewachsen sind – diese Vergleiche helfen uns wenig.

Ich möchte noch auf etwas anderes hinweisen. Es waren nicht Polen, Tschechen oder Ungarn, sondern Deutsche in der DDR, die als erste im neugeschaffenen sowjetischen Herrschaftsbereich gegen den Totalitarismus aufstanden, nämlich 1953. Doch sie wurden mit Gewalt unterdrückt. Seither hatten sie kaum noch eine Chance, jedenfalls nicht als Bewegung. Dennoch hat es viele einzelne und kleine Gruppen gegeben, die im Osten Deutschlands mit persönlichem Mut die Wende vorbereitet hatten. Dann blieb die friedliche Revolution unvollendet, weil sie praktisch sofort in die Perspektive eines vereinten, rechtsstaatlichen, deutschen Gemeinwesens überging. Doch dem vereinten Deutschland, einer westlichen Demokratie fehlen Erfahrung und Instrumente, um rechtsstaatlich mit den Diktaturfolgen umzugehen. Daß nun die vielen Menschen, die in der DDR unter den Verhältnissen persönlich gelitten hatten, die Auseinandersetzung mit der Vergangenheit suchen und daß sie darin auch einen wesentlichen eigenen Beitrag sehen, überdies gerade auch dann, wenn sie in der gegenwärtigen deutschen Politik im übrigen nur wenig Einfluß haben, das ist doch nur allzu verständlich.

*Als Egon Bahr seine Rede dazu in Dresden gehalten hatte, gab es hinterher begeisterten Applaus. Es handelte sich aber praktisch um ein Plädoyer, die Vergangenheit ruhen zu lassen und nicht weiter Gräben aufzureißen.*

Diese Rede ist leider kaum bekannt geworden. Sie war scharfsinnig und unerbittlich aufrichtig. Sie wurde viel zu wenig diskutiert.

*In einem Interview mit der ZEIT hat er gesagt, zum ersten Mal in vielen Jahren müsse er dem Bundespräsidenten mit dem Urteil »Amnestie ist Amnesie« widersprechen. Das sehe er anders.*

Das ist sein gutes Recht. Im übrigen sind die verwendeten Ausdrücke auch nicht genau. Man kann Straftaten amnestieren, aber nicht eine ganze Vergangenheit mit allem, was sie mit sich gebracht hat. Wohl aber kann man eine Vergangenheit vergessen, verdrängen, und das ist immer gefährlich. Harmonie vorwegzunehmen bedeutet, sie vorzutäuschen, und das schafft keinen Frieden. Aber ob wir wirklich in unseren Meinungen zu diesem Punkt so weit auseinander sind? Ich habe in Diskussionen mit Egon Bahr viel gelernt. Als er für die Deutschlandpolitik als Minister im Kanzleramt tätig war, war ich im Bundestag eine Art Gegenpart zu ihm.

*Als deutschlandpolitischer Sprecher.*

Während der Verhandlungen über den Grundlagenvertrag mit der DDR, die Bahr führte, gab es ein kleines Kränzchen von Regierung und Opposition, das im allgemeinen im Kanzlerbungalow tagte. Hier war Bahr die Schlüsselfigur. Seine Zielsetzungen gab er nicht immer deutlich zu erkennen, und über die konkreten Verhandlungsschritte behielt er sein Herrschaftswissen gegenüber uns in der Opposition oft für sich. Überdies ging es Teilen der damaligen Bundesregierung und auch unseren Alliierten, zum Beispiel den Amerikanern, oft keineswegs besser. Er freute sich, wenn alle hinter vollendeten Tatsachen, die er geschaffen hatte, herzumarschieren hatten.

*Wäre das anders überhaupt gegangen?*

Ich erzähle das doch nicht, um mich nachträglich zu beschweren, sondern aus Respekt. Ich kenne keinen anderen deutschen Politiker der letzten 25 Jahre, der zwar nicht immer offen in seinen Informationen, aber so unerbittlich aufrichtig gegenüber den Verhältnissen zu sein sich bemühte und zugleich soviel bewegt hat. Denken Sie an Willy Brandt und Egon Bahr an seiner Seite, schon während der schwierigsten Berliner Bürgermeisterzeit in Berlin, dann im Auswärtigen Amt und sodann im Kanzleramt, das war ein ziemlich einmaliges Zusammenwirken zweier völlig unterschiedlicher Persönlichkeiten. Jeder kam wohl erst mit Hilfe des anderen zur wirksamen Entfaltung seiner eigenen Gaben. Aber das ist ein Exkurs von unserem Thema der Vergangenheit.

*Es ist merkwürdig, daß solche Leute wie Brandt oder Bahr – Brandt hat es schon bei seiner Rückkehr nach Deutschland als Emigrant so gehalten – eine sehr versöhnliche Position eingenommen haben, jetzt eben auch wieder. Das war dennoch nie geschichtsvergessen. Offenbar läßt sich das verbinden: nie einen Schlußstrich ziehen und trotzdem ungewöhnlich versöhnlich bleiben. Das ist aber in der jetzigen Situation, wo wir es mit zwei Vergangenheiten in Deutschland zu tun haben, so wohl nicht möglich. Denn zumindest in der ostdeutschen Gesellschaft stößt man damit gleichzeitig die Bürgerrechtler und die Opfer, die gelitten haben, vor den Kopf. Vielleicht sind objektiv fast nur falsche Bewegungen möglich. Man ist versucht, heute mit seinem eigenen Verhältnis zum Nationalsozialismus und den Verdrängungen danach anders umzugehen, als man es in früheren Jahren gemacht hat.*

Ich will das nicht kommentieren. Aber ich glaube, daß keine der beiden Seiten in Deutschland sich vom Schicksal der anderen als nicht betroffen erklären kann. Um zusammenzuwachsen, müssen wir uns auch im Verständnis der Vergangenheit so gut wie möglich vereinigen. Ein Weg zur Beschäftigung mit der SED-Herrschaft ist jetzt beschritten worden. Wir müssen lernen, ihn so anständig wie möglich zu gehen.

*Zu der Auseinandersetzung mit der Vergangenheit gehört auch der Gesamtkomplex Sozialismus und die Rolle der Intellektuellen. Jürgen Habermas hat die Sorge geäußert, in der Auseinandersetzung mit dem Staatssozialismus der DDR könnte ein neuer Anti-Intellektualismus durch die Hintertür wieder ins Land kommen. Haben Sie Verständnis für diese Sorge? Man könnte ergänzen: Die Westfeuille-*

*tons haben diese Debatte federführend an sich gezogen, das »FAZ-Feuilleton«, und das nicht allein, prangert Ost-Intellektuelle und Ost-Autoren an. Stichwort: Christa Wolf. West-Intellektuelle erklären Ost-Intellektuellen, wie Intellektuelle sich hätten verhalten sollen und was wahre Kunst ist. Der Anti-Intellektualismus bekommt sogar von Intellektuellen Sukkurs.*

Hier ist keine Auseinandersetzung im herkömmlichen Sinn zwischen Macht und Geist im Gange, sondern innerhalb des Geistes. Das nimmt seinen Lauf, aber wie ich dringend hoffe, nicht mit dem Ergebnis eines neuen Anti-Intellektualismus. Wem sollte das denn nützen? Wir werden ja später noch darauf kommen, wie sehr wir in unserem heutigen politisch-gesellschaftlichen Zustand auf Beiträge des Geistes zu den langfristigen Konzepten angewiesen sind.

Die Intellektuellen und Künstler sind im übrigen das lebendigste Beispiel dafür, wie unmöglich es ist, die Debatte über die Vergangenheit rasch zu beenden. Nur wäre es natürlich gut, wenn es ihnen gelingen würde, uns normalen Menschen die Fähigkeit zum Differenzieren, einen Sinn für Maß und für Gerechtigkeit näherzubringen. Das SED-Regime schuf eine menschliche Situation voller Zweideutigkeiten. Man möge sie nicht nachträglich mit moralischem Pathos zur Eindeutigkeit umstilisieren. Das Gewirr von Gut und Böse war und bleibt schwer genug zu unterscheiden.

Die Vertreter des Geistes und der Kunst sollen uns ganz gewiß nicht ethisch gleichgültig machen, weil das Leben nun einmal voller Widersprüchlichkeit ist. Aber vielleicht könnten sie doch durch die Art und Weise ihrer Auseinandersetzung untereinander der Gesellschaft im ganzen ein bißchen mehr helfen. Denn diese Gesellschaft ist nach meiner Überzeugung weit davon entfernt, über eine Distanz zu den Intellektuellen froh zu sein. Der allgemeine Orientierungsbedarf ist dazu viel zu groß. Und er wird zu wenig befriedigt.

*Gerade im Fall Christa Wolf hat sich das Intellektuellenlager West doch sehr geteilt. Einen anderen Hinweis hat Wolf Lepenies, der Berliner Soziologe, gegeben: Er argumentiert, die Geisteswissenschaften an den Universitäten der ehemaligen DDR seien nach einer Kollektivschuld-These abgewickelt worden, während die Naturwissenschaftler kollektiv freigesprochen worden seien. Also: Historiker, Literaturwissenschaftler, Philosophen sind praktisch allesamt disqualifiziert oder moralisch kompromittiert. Mathematiker, Biologen, Ärzte erhalten einen Freispruch. Auch das verdoppelt Vorbehalte gegenüber »den« Intellektuellen. Überflüssig hinzuzufügen, daß nachdenkliche Ostdeutsche wie Jens Reich die selbstkritischen Fragen auf überzeugende Weise stellen. Zum Beispiel: Warum haben wir Sacharow, Havemann, Havel alleingelassen?*

Selbstkritik ist immer das Überzeugendste. Und sie ist rar genug. Dennoch: Was heißt Ostlager oder Westlager? Von denen, die im Osten waren, wurden durch die Staatsmacht einige gefeiert, andere benutzt, Dritte kaum wahrgenommen, die meisten irgendwie überwacht, manche verfolgt und inhaftiert, wieder andere zur freiwilligen Ausreise veranlaßt oder dazu gezwungen.

*Um noch einmal an den Gedanken von Habermas anzuknüpfen: Er meint, nun werde das Kind mit dem Bade ausgeschüttet und die Intellektuellen würden in Ost und West für das Versagen des Staatssozialismus bestraft. Er fürchtet, daß »diese Dialektik der Entwertung für die geistige Hygiene in Deutschland ruinöser sein wird als das geballte Ressentiment von fünf, sechs Generationen gegenaufklärerischer, antisemitischer, falschromantischer, deutschtümelnder Obskurantisten«. Die Entwertung unserer besten und schwächsten intellektuellen Traditionen sei für ihn einer der bösesten Aspekte an dem Erbe der untergegangenen DDR.*

Intellektuelle bestrafen sich in erster Linie selbst. Oft zeigen sie damit eine Kraft, die sie ehrt. Aber es gibt auch einen moralischen Rigorismus, ja Fundamentalismus, der die Beteiligten und zumal die Zuschauer nur verwirren kann.

Wolf Lepenies kann die Gebiete, auf die er sich bezieht, selbst viel besser beurteilen als ich. Doch nehmen wir z.B. die »Leopoldina«, die älteste naturwissenschaftliche Akademie in Deutschland, in Halle an der Saale. Sie blieb während der Jahre der Teilung ein Treffpunkt zwischen Ost und West, unter vorbildlicher, mutiger Führung von Naturwissenschaftlern der DDR.

Die Literatur ihrerseits spielte während der ganzen Zeit der Teilung eine wichtige Rolle, wahrlich nicht nur für die gemeinsame Sprache, sondern für unsere Gedanken. Oder nehmen Sie ein in einer Diktatur besonders gefährdetes, geisteswissenschaftliches Fach: Die Geschichtsschreibung. Während der Zeit der Teilung ist eine ganz besonders bemerkenswerte Bismarck-Biographie in Ostberlin geschrieben worden. Beispiele also, so will ich sagen, gibt es beinahe in jeder Richtung.

*Hatten Sie unter den Bedingungen der Teilung die Möglichkeit, mit den Autoren drüben auch Kontakt zu halten, sei es in der Zeit als Regierender Bürgermeister von Berlin, aber auch davor?*

Ja, ich habe mit manchen Autoren, Musikern, Theaterleuten und Wissenschaftlern Kontakt gehabt. Je schwerer und auch je zwiespältiger ihre Erfahrungen waren, desto gewichtiger sind sie jetzt für uns.

*Bevor wir zur Ostpolitik selber kommen, möchten wir doch gerne Ihre Einschätzung des Komplexes »Kirche und Sozialismus« kennenlernen. Die hitzige Debatte hat sich nicht zuletzt an Manfred Stolpe entzündet, dem »Staatssekretär« der Evangelischen Kirche der DDR, der Ministerpräsident von Brandenburg geworden ist. Seine Haltung gegenüber dem Staat, seine Mittlerrolle, seine Funktion, die er oder andere in vergleichbarer Rolle hatten, legt die Frage nahe: wie »schuldig« ist man damals notwendigerweise geworden, wenn man etwas erreichen wollte? Wie opportunistisch mußte man möglicherweise sein?*

Darüber habe ich nicht zu richten. »Handeln und Leiden ist eins«, sagt T.S. Eliot.

*Wir wollen Sie auch nicht als Richtenden. Aber Sie kennen natürliche diese »Kirche im Sozialismus« sehr gut, seit vielen Jahren. Sie waren immer wieder dort. Wie sehen Sie denn die Funktion und Bedeutung dieser Annäherungen, dieses Hinüber und Herüber, den Versuch, den Staat dort in einen Prozeß zu verwickeln, der mehr Demokratie erlaubt und vielleicht eben auch einmal bis hin zur Einheit führt?*

Die Kirchen sind nach ihrem Auftrag und Selbstverständnis vom Staat unabhängig. Bei der römisch-katholischen Kirche ist dies evident; sie ist Weltkirche. Die evangelischen Kirchen in Deutschland hatten in ihrem Verhältnis zum Staat auch unheilvolle Kapitel hinter sich gebracht. Man denke an das Stichwort »Thron und Altar« im 19. und bis ins 20. Jahrhundert hinein. Unter dem Nationalsozialismus gab es einige, die sich »Deutsche Christen« nannten, und einen sogenannten Reichsbischof. Doch versammelte sich der Kern gerade gegen diese Richtung in der sogenannten Bekennenden Kirche.

Die Ausgangslage in der DDR war das programmatisch weltanschauliche Bekenntnis der herrschenden SED zum Atheismus. Die Kirchen standen von vorneherein im manifesten Widerspruch zur Ideologie dieses Staates. Sie waren die einzige über das ganze Land verteilte und organisierte, im inneren Zusammenhang stehende Einrichtung, die sich nicht in der Hand und unter der direkten Kontrolle der politischen Herrschaft befanden. Infolgedessen waren sie auch der für die SED wichtigste Bereich des Mißtrauens, der Überwachung und der Unterwanderungsversuche.

Eine Möglichkeit, den SED-Staat als solchen zu verändern, hatten die Kirchen nie. Ihre wichtigste Aufgabe war, ihr Proprium zu wahren, d.h. also die Sakramente zu verwalten, das Evangelium zu verkünden, die kirchlichen Gemeinden zusammenzuhalten und, für die Pfarrer, den Menschen als Seelsorger zu dienen.

Schon diese Aufgaben für sich allein brachten die Kirchen in unaufhörlichen Konflikt mit der politischen Herrschaft. Ein wichtiges Beispiel war die Schulbildung, auch über Religionsunterricht und Konfirmation hinaus. Die ständigen Gegensätze zu Margot Honecker waren fast noch größer als die zu ihrem Manne Erich.

Allgemein bekannten sich die Kirchen zum Recht und zur Würde eines jeden Menschen, unabhängig von seinen Gaben oder Schwächen. Deshalb haben sie, um ein weiteres Beispiel zu nennen, so gut sie es konnten den Behinderten geholfen. Auch das war schwer genug, dem SED-Regime wenigstens schrittweise ein Mindestmaß an Achtung und Zuwendung gegenüber Behinderten abzunötigen.

Gerade weil die Kirchen eine landesweite, aber parteiungebundene Organisation waren, versuchte es die SED ihnen gegenüber mit einem doppelten Ansatz: Einerseits mit der schon genannten flächendeckenden Überwachung und dem Versuch der Unterwanderung; andererseits – und dies um so mehr, je älter der DDR-Staat wurde und je mehr seine inneren Schwierigkeiten wuchsen – mit dem Versuch, gewisse Elemente von Kirchenfreundlichkeit zu zeigen und damit die Kirchen zu einer Stabilisierung der Stimmung in der Bevölkerung zu benutzen. Dies im Zusammenhang mit dem ominösen Begriff »Kirche im Sozialismus« ist vor allem im Westen oft Veranlassung für die Annahme gewesen, wichtige Teile der Kirchen hätten sich mit dem SED-Staat verbündet.

Doch dies ist falsch. Gewiß gab es in dieser großen Organisation Kirche starke und schwache Menschen, oder auch Kirchenleitungen, die mehr oder weniger eindrucksvoll operierten. Aufs Ganze gesehen aber haben die Kirchen ihre Unabhängigkeit gegenüber dem Staat gewahrt. Sie wurden nicht nur nicht zu seinem Instrument, sondern auch nicht zu seinem Stabilisierungshelfer. Wahr ist eher das Gegenteil. Denn es ging und geht den Kirchen um die Freiheit des Gewissens und um die Achtung vor der Menschenwürde. Sie haben sich unter großen Konflikten für die Militärdienstverweigerung aus Gewissensgründen eingesetzt. Bei ihnen ging es um die

Parole »Schwerter zu Pflugscharen«. Ihr Einsatz galt der Freizügigkeit der Menschen. Sie waren Anlaufstelle und berufene Vertreter, um das schreckliche Grenzregime der SED anzuprangern und den Menschenrechten des Korbes 3 der Schlußakte von Helsinki Schritt für Schritt Geltung zu verschaffen.

Für alles das hatten, brauchten und suchten sie Kontakt mit den regionalen und zentralen staatlichen Stellen. Daß ihre Vertreter dabei in Mut und Klugheit unterschiedlich gewesen sein mögen, davon ist auszugehen, weil Menschen so sind wie sie sind. Doch waren die Kirchen für die SED nie ein beherrschter Raum und immer mehr ein Grund zu Mißtrauen und Sorge.

Die Kirchen waren nicht die Widerstandsorganisation gegen den Staat. Aber sie boten denen, die als Bürgerrechtler den aktiven Widerstand suchten, Dach und Schutz. Selbstverständlich führte dies auch zu Konflikten, etwa zwischen einem Pfarrer, der für seine ganze Gemeinde Verantwortung trug, und einer Gruppe von Bürgerrechtlern, die mit dem bloßen kirchlichen Schutzdach nicht zufrieden waren, sondern die Einordnung der Kirche beim aktiven Widerstand verlangten. Doch aufs Ganze gesehen hat die SED und die Staatssicherheit den Kampf um Überwachung und Unterwanderung, um Gleichschaltung und Instrumentalisierung der Kirche verloren.

Eine christliche Kirche hat nach ihrem Glauben immer Grund, um Vergebung von Schuld zu bitten. Außenstehende, zumal solche im Westen, die sich jahrzehntelang gar nicht für die Kirchen in der DDR interessiert haben, sollten nicht jetzt und nachträglich zu anklagenden Wortführern werden. Und die Kirchen sollten und dürfen sich klar und deutlich zu ihrem Leben in den vergangenen Jahren bekennen.

*In welchem Umfang haben die Kirchen die Verbindung in Deutschland aufrechterhalten?*

Darin hatten sie eine ganz einzigartige Rolle. Wiederum gilt dies für die katholische Kirche schon deshalb, weil sie eine Weltkirche ist und ihren Zusammenhalt ohnehin vollkommen jenseits aller staatlichen Grenzen findet.

Die evangelischen Kirchen in Deutschland hatten bis in die zweite Hälfte der 60er Jahre hinein auch ihre institutionelle Einheit zwischen Ost und West bewahrt. Und auch danach, als sie zur formalen Trennung politisch gezwungen wurden, hielt der Bund der Evangelischen Kirchen in der DDR in seiner Verfassung ausdrücklich die besondere Beziehung zu den Kirchen im Westen fest.

Eine Kirchenleitung, nämlich die der sogenannten Evangelischen Kirche der Union, der EKU, hat bis zur Wende die Einheitlichkeit seines obersten Leitungsorganes, des Rates, nie preisgegeben. Die EKU umfaßt die Landeskirchen, die aus dem ehemaligen Staate Preußen hervorgegangen sind und sich nach der staatlichen Teilung sowohl in der Bundesrepublik als auch in der DDR vorfanden. Im übrigen gab es überall engen Kontakt zwischen Partnergemeinden aus Ost und West. Ich selbst bin in mein Amt beim Evangelischen Kirchentag noch gemeinsam von den Kirchentagsverantwortlichen aus Ost und West gewählt worden und habe die Zusammenarbeit der Kirchentagsarbeit aus beiden Teilen Deutschlands unaufhörlich bis zur Wende miterlebt und mitgetragen.

Es gibt keine einzige Einrichtung in ganz Deutschland, die den Zusammenhalt der Deutschen zwischen Ost und West während der ganzen Zeit der Teilung so intensiv praktiziert und repräsentiert hat wie die Evangelische Kirche.

*Schon dieser Zusammenhalt und die Zusammenarbeit bedeuteten objektiv ein Stück »Deutschlandpolitik«. Sehen Sie darin auch die Keimzelle für eine aktive Deutschland- und Ostpolitik?*

Ohne Zweifel ja. Sie erinnern sich an die Ostdenkschrift der Evangelischen Kirche aus dem Jahre 1965. Sie hat einen entscheidenden Anstoß für die Ostpolitik der Bundesrepublik geliefert. Sie wurde von der sogenannten Kammer für öffentliche Verantwortung der EKD ausgearbeitet, einem gemeinsamen Gremium aus Ost und West, dessen stellvertretender Vorsitzender ich damals war.

*Antje Vollmer hat dazu geschrieben, Manfred Stolpe sei der Egon Bahr Ost-Deutschlands gewesen. Wahrscheinlich sei sein Anteil an dieser politischen Strategie nicht geringer. »Entspannungspolitiker müssen gefährliche Räume betreten – wenn sie leidenschaftliche Politiker sind, tun sie dies auch immer wieder.«*

Mit dem Unterschied, daß Bahr die Regierungsverhandlungen führte, während man sich mit Stolpe und anderen Kirchenleuten aus der DDR beriet. Das haben überdies die Kanzleramtsminister aller Bundesregierungen und auch die Bundeskanzler selber in den letzten 25 Jahren getan. Wer auch immer in der alten Bundesrepublik Verantwortung für die weitere Entwicklung der Beziehungen zur DDR trug, mußte doch jede Anstrengung unternehmen, um sich ein Bild über die Not, die Stimmungslage, die Aussichten und die Wünsche der Menschen in der DDR zu machen. Und dafür stand eben auch für uns im Westen als einzige über den ganzen DDR-Staat verbreitete und nicht unter der Herrschaft der SED stehende Institution die Kirche zur Verfügung. Deshalb war ihre Rolle nicht nur für das fortdauernde Bewußtsein der deutschen Zusammengehörigkeit bedeutungsvoll, sondern mittelbar in Beratungswege auch für die Deutschlandpolitik des Westens selbst.

Der Konflikt, in dem sich die Deutschlandpolitik der alten Bundesrepublik befand, war sehr bald klar. Es ging immer um die Lage der Menschen im SED-Staat unter der von ihnen nicht gewählten und sie diktatorisch bedrückenden SED-Führung. Sollte man sich um die Verbesserung dieser menschlichen Lage Schritt für Schritt bemühen, was nur auf dem Wege der Verhandlungen und Abmachungen mit der SED-Herrschaft selber möglich war? Oder sollte man jeden Kontakt mit den Diktatoren meiden, ihre Herrschaft dadurch erschweren, aber zugleich die Menschen in der DDR die damit verbundenen zusätzlichen Bedrückungen tragen lassen?

In Wirklichkeit hat die politische Führung der alten Bundesrepublik lange vor der Anerkennungspolitik Brandt/Bahr Kontakte mit der SED-Führung gehabt und sie zugunsten der Menschen in der DDR zu nutzen versucht. Es gab ja aller Hallstein-Doktrin zum Trotz frühzeitig den Interzonen-Handel, den Swing und ein Abkommen über Passierscheine. Elemente der Entspannungs- und Friedenspolitik waren älter als der Beginn der sozial-liberalen Koalition in Bonn, auch wenn dann erst diese sie mit Macht und Konsequenz ins Zentrum rückte.

Es war also ein Dilemma, wie so oft im Leben und in der Politik. Schritte zur Entspannung schlossen notwendig Zusammenarbeit mit eben jenen Machthabern ein, wohl wissend, daß diese die Schuldigen an den unmenschlichen Verhältnissen waren. Sich so zu verhalten, war nicht das Ergebnis einer kalten oder gar zynischen Abwägung. Es geschah vielmehr im Gedanken an die Menschen und auf die Bitte der weitaus meisten Deutschen in der DDR, die das Joch der SED tief empfanden und mitten im Kalten Krieg keinerlei 9. November 1989 auf sich zukommen sahen, wie wir alle nicht.

*Sie sagen »wohl wissend«. An sich ist das der Kern dieser aufkeimenden Revisionsdebatte darüber, ob die Ostpolitik richtig war. Bahr sagt ähnlich, er habe das Problem immer gesehen. Die Entspannungspolitik habe eine einprogrammierte Dialektik gehabt. Er habe nur einmal offen über ihr Ziel gesprochen, dann nicht mehr, weil es kontraproduktiv gewesen wäre. Das war sogar vor der Rede in Tutzing 1963: Er argumentiert also heute, 1992, das subversive Moment von Ost- und Entspannungspolitik sei ihm stets klar gewesen. Jeder habe seine Rechnungen gemacht. Ist das auch Ihre Ansicht, hat die Entspannungspolitik insgeheim ein so eindeutiges Ziel verfolgt?*

Muß man es subversiv nennen? Vielleicht neigte Bahr dazu, der seinen Mitmenschen nicht immer ganz genau sagte, wohin er sie haben wollte.

*Auf der anderen Seite hat auch Willy Brandt nie ausformuliert, was die Ziele der Ostpolitik sind. Er hat auf Fragen immer erwidert, er spreche nicht über große »Ziele« der Ostpolitik, er spreche über menschliche Erleichterungen und kleine Schritte und Versuche von »Normalisierung«. Brandt und Bahr nehmen sich auch wechselseitig in Schutz an dieser Stelle. Willy Brandt hat oft gesagt, man dürfe in Bahr nicht den kalten Stabilitäts-Politiker sehen, das werde ihm nicht gerecht.*

Dem stimme ich zu. Im übrigen habe ich ja schon gesagt, daß nach meiner Meinung keiner der beiden ohne den anderen seine Beiträge zur Politik in Deutschland hätte leisten können.

Ich könnte mir denken, daß Bahr seine Formel vom »Wandel durch Annäherung« zwar sehr sorgfältig durchdacht und vorbereitet, sie zugleich aber auch mit der Freude daran vorgetragen hatte, daß sie eine Kontroverse auslösen würde. Wer nähert sich wem wie an? Wer wandelt sich bei der Annäherung? Der, der sich annähert oder der, der »angenähert« wird?

Wie dem auch sei, die Entspannungspolitik wurde nach meiner Überzeugung je länger desto deutlicher unausweichlich, aus menschlichen, nationalen und internationalen Gründen. Sie war keine rabulistische Erfindung, sondern moralisch und sicherheitspolitisch wohl begründet. Sie reichte vom innerdeutschen Interzonen-Handel über die Harmel-Doktrin der NATO bis zu den ersten SALT-Gesprächen der Supermächte und sie mündete im alles entscheidenden Helsinki-Prozeß.

*Und über längerfristige Ziele müßte man schweigen? Oder gab es darüber eben auch kein Einvernehmen? »Die partielle Stabilisierung war aber geradezu Voraussetzung für Entspannung, Bürgerrechtsbewegungen waren das erhoffte Produkt. Eine Bärbel Bohley konnte von der Entspannung wie von der Stabilisierung profitieren.« So hat Egon Bahr die Ziele der Politik verteidigt und definiert.*

Das mögen Egon Bahr und Bärbel Bohley miteinander ausmachen.

Wir haben aus dem Westen mit der SED-Führung Kontakte gehabt und Kontrakte geschlossen. Die SED war bestrebt, dadurch ihr internationales Ansehen und ihre Autorität zu Hause zu erhöhen.

Das hat sie vorübergehend auch erreicht. Aber sie mußte dafür bezahlen. Schließlich mußte sie die Schlußakte von Helsinki unterschreiben und damit ihre Grenzen für Waren, Informationen und Schritt für Schritt auch für Menschen öffnen. Der KSZE-Prozeß wurde zum menschenrechtlichen Motor. Zusammen mit dem ganzen Ostblock geriet das versteinerte DDR-System unter wachsenden Druck. Ob nun die Entspannung die SED zunächst stabilisiert und dann aufgeweicht oder beides zugleich bewirkt hat, darüber mögen wir noch lange streiten. In Wirklichkeit ist die Entspannungspolitik seit langem Gegenstand des Einverständnisses von rechts bis links.

*Sie haben das mit einem großen internationalen Geburtstagsessen zu Ehren Willy Brandts, als er 75 Jahre alt wurde, auch öffentlich sichtbar dokumentiert: West- und Ostpolitik sind nun Teil des deutschen Konsens.*

Ja. Damals habe ich gesagt, daß die Ost- und Entspannungspolitik keine Ablösung des alten, der Aussöhnung mit dem Westen dienenden Zieles gewesen sei, wie sie Konrad Adenauer zustandegebracht hatte. Vielmehr sei es ganz im Gegenteil die feste Verankerung im Westen gewesen, die erst die Möglichkeit zur neuen Ostpolitik geschaffen habe. Aus den beiden Teilen ist ein zusammengehörendes Ganzes geworden, das seit langem nicht mehr ernsthaft umstritten ist – ein kostbares Allgemeingut.

Fest steht, daß keiner von uns die staatliche Vereinigung so vorausgesehen hat, wie sie gekommen ist. Beigetragen zu ihr haben die Festigkeit und der Systemerfolg des Westens ebenso wie die Entspannungspolitik gegenüber dem Osten.

*Nation sei die tägliche Volksabstimmung. Dies gelte ohne weiteres auch für die Deutschen von heute, schreibt der amerikanische Historiker Charles S. Maier, für die DDR-Bürger, die »in der Budapester Botschaft und auf dem Platz der Republik in Leipzig die Vereinigung erzwangen«. Man kann natürlich auch deutsche – ostdeutsche – Zeugen anführen, zum Beispiel die Bürgerrechtlerin Bärbel Bohley. Sie meint, 1989 habe sich Zeitgeschichte zur Weltgeschichte verdichtet, »da sind die Einzelkämpfer bestätigt worden, die sich den Politiktrends verweigert haben und ihrem altmodischen Gewissen treugeblieben sind«. Und Gerd Poppe, der Abgeordnete des Bündnis '90, der gleichfalls zu den Oppositionellen der DDR zählte, hält daran fest: Trotz aller Anpassung, obwohl andere in Osteuropa mutiger gewesen seien und die Abstimmung der jungen Leute mit den Füßen eine entscheidende Rolle gespielt haben, 1989 seien eben Hunderttausende aus ihren Nischen gekommen und hätten dazu beigetragen, »daß das nur scheinbar stabile System ohne nennenswerte Gegenwehr in sich zusammenfiel«.*

Vieles hat zusammengewirkt, wachsende Hoffnung unter den Menschen, hervorragend mutige Einzelkämpfer, die Ungarn, die den Draht durchgeschnitten haben. Doch sollte man sie in die Gesamtentwicklung einfügen. Es gab keine isolierten Einzelerfolge von Umsturzbewegungen in bestimmten Ländern des ganzen sowjetischen Paktsystems ohne Zusammenhang mit einer allmählichen Veränderung der Verhältnisse in Moskau selbst.

Dort tat der Helsinki-Prozeß seine Wirkung, weil die sogenannten Verbündeten in Wirklichkeit je länger desto mehr zu überwachungsbedürftigen, unsicheren Kantonisten wurden. Die Grundfehler des sowjetischen Systems zusammen mit der fast alle Ressourcen beanspruchenden Aufrüstungspolitik von Breschnew und schließlich der wahnwitzige, im kleinsten Zirkel getroffene Entschluß zum Afghanistan-Krieg, das alles waren Voraussetzungen und Wegbereiter für den beginnenden Reformkurs von Gorbatschow, Jakolew und Schewardnadse. Natürlich war es ein Reformkurs, der, als er begann, unendlich weit davon entfernt war, Konsequenzen ins Auge zu fassen, die schließlich bis hin zur Vereinigung Deutschlands und seiner Mitgliedschaft in der NATO führen würden. Dennoch hatte auch er Entscheidendes für einen Erfolg des großen Mutes zur friedlichen Wende in der DDR beigetragen, daß nämlich schließlich im Herbst 1989 die sowjetischen Truppen in den Kasernen blieben und der SED zur gewaltsamen Unterwerfung der friedlichen Demonstranten nicht mehr zur Verfügung standen.

*Wir sind da gar nicht prinzipiell anderer Meinung. Aber über die Ausblendungen und Kompromisse der Ostpolitik, auch über den Etatismus bei den handelnden Parteien in Bonn, wird man ehrlich reden müssen, wenn das Kind nicht mit dem Bad ausgeschüttet werden soll.*

Damit bin ich vollkommen einverstanden, sofern man die eigentlich menschlichen Ursachen und die jahrzehntelange Entwicklung der Entspannungspolitik dabei nicht aus dem Auge verliert. Fehler sind aber ohne Zweifel gemacht worden, etwa im Kontakt und vor allem im Ton mit Leuten wie Husak oder Bilak oder auch mit Honecker.

*Gerade das aber müssen die Ostpolitiker aller Schattierungen offensichtlich den Oppositionellen der ehemaligen DDR erklären. Nehmen wir Arnold Vaatz, Biedenkopfs jungen Umweltminister, der sagt: Ich bin dagesessen und habe die Hände über dem Kopf zusammengeschlagen, wenn ich die Politiker aus dem Westen wieder zusammen gesehen habe mit dem Honecker, diesen verhängnisvollen Gaus, und diesen schrecklichen Bölling, und diese CDU-Prozessionen zur Leipziger Messe. Der moralische Rigorismus der Bürgerrechtler bringt einen selbst dann, wenn man die Entspannungspolitik unterstützt hat, in große Schwierigkeiten. Auch in Gesprächen mit manchen Osteuropäern geht einem das so, die dann sagen, auch die Ostpolitiker im Westen hätten sich »schuldig« gemacht, objektiv vielleicht unvermeidlich, aber gleichwohl.*

Für manchen mag Entspannungspolitik ein willkommener Vorwand für Leisetreterei gewesen sein. Aber das macht die Entspannungspolitik nicht falsch. Jede politische Richtung ist von Versuchungen begleitet. Und kommt in Schwierigkeiten, wenn ihr mit moralischem Rigorismus begegnet wird. Es war nicht gut, daß mancher Politiker aus dem ganzen westlichen Lager nach Warschau fuhr und Lech Walesa nicht besuchen wollte, um die damalige Regierung nicht zu ärgern. Aber es gab auch keinen Grund sich dafür zu entschuldigen, daß man sich mit Machthabern traf und besprach, wie mit Breschnew oder, um beim polnischen Beispiel zu bleiben, mit dem polnischen Nationalkommunisten Jaruzelski.

Man soll sich immer der moralischen Kritik stellen, sich aber auch nicht durch moralischen Rigorismus einschüchtern lassen. Das führt dann schließlich dazu, daß man einen chinesischen Außenminister empfängt, sich aber nicht traut, ihm die Hand zu geben, solange Fotografen im Raum sind.

*Die Ost- und Deutschlandpolitik hat Sie schon beschäftigt, bevor Sie Ende der 60er Jahre in die Politik gingen. War das in der damals beginnenden großen innenpolitischen Kontroverse um diese Politik für Sie schwierig, bei der Position, die Sie in der Sache hatten und die Ihre Partei, die Union, demgegenüber damals vertrat?*

Schwierig ist ein milder Ausdruck. Mit ostpolitischen Fragen hatte ich mich schon beschäftigt, lange bevor ich zum ersten Mal für ein politisches Amt kandidierte. Bereits 1961 habe ich mich zur Verständigung mit Polen ohne erneute Revisionspolitik öffentlich eingesetzt. Es folgte meine Mitarbeit in den kirchlichen Gremien, insbesondere in der schon erwähnten Kammer für Öffentliche Verantwortung der EKD, vor allem mit ihrer Ostdenkschrift.

*Die »Ostdenkschrift« war damals in der intellektuellen politischen Auseinandersetzung der Republik ein Meilenstein.*

So war es. Im Jahr 1968 haben wir in derselben Kammer noch eine weitere Denkschrift verfaßt, die allerdings weniger Aufsehen erregte. Sie hieß: »Die Friedensaufgaben der Deutschen«. Wiederum war es eine Schrift, die in Ost und West gemeinsam ausgearbeitet wurde. Die beiden gewiß nicht immer einigen, aber doch zusammenarbeitenden Hauptredakteure auf der westlichen Seite waren Erhard Eppler und ich. Ungezählte Male sind wir im

Jahre 1968 nach Ostberlin in die Auguststraße gefahren, um mit den Kammermitgliedern aus den Kirchen der DDR an dieser Denkschrift zu arbeiten.

*Wer waren dort Ihre Partner? Kennt man die heute noch?*

Das kann ich Ihnen nicht mehr sagen.

Aber erst danach, zum ersten Mal im Spätherbst 1969 wurde ich in den Bundestag gewählt. Und dort habe ich selbstverständlich meine Auffassung zur Deutschlandpolitik, zum Verhältnis zu Polen und zur Entspannung beibehalten und vertreten. Wenn ich das so sagen darf: Es hat meine Achtung vor meiner Partei und Fraktion gestärkt, daß sie in Kenntnis meines Standpunktes mir die Funktion des Obmanns im innerdeutschen Ausschuß des Bundestages übertrug.

*Es folgte aber die Auseinandersetzung über die Ost-Verträge, in welcher Sie doch eher als Außenseiter in Ihrer Partei betrachtet wurden, weil Sie deren mit der Formel »so nicht« umschriebene, ablehnende Haltung eben nicht akzeptiert haben. Es gab schwierige Abstimmungen und auch viel Druck auf abweichende Meinungen.*

Ja, das ist eine lange und leidvolle Geschichte. Ich will sie hier im wesentlichen übergehen, weil wir jetzt vor ganz anderen Problemen stehen. Aber es kann nach meiner Meinung keinen Zweifel darüber geben, daß diese tiefgehenden Auseinandersetzungen unbedingt notwendig waren. Es war der schwere innere Kampf in der Bundesrepublik, sich zu den durch Macht geschaffenen Ergebnissen des von Deutschland begonnenen Zweiten Weltkrieges und seines Unrechts zu stellen und den uns möglichen Beitrag dazu zu leisten, daß der Kalte Krieg nicht in einen heißen übergehen und daß die Freiheit schrittweise Fortschritte machen sollte. Der Schlußstein mit den folgenreichsten Auswirkungen in die Zukunft hinein war, dabei bleibe ich, die Schlußakte von Helsinki.

*Diese Debatte hat aber auch etwas Identitätsstiftendes für die Republik selber gehabt, haben Sie einmal angedeutet.*

Gerade weil sie so hart war, innerhalb der Parteien, zwischen ihnen und in der ganzen Gesellschaft, bis tief in Freundeskreise und Familien hinein, hat sie diese prägende Wirkung hervorgebracht.

*Westpolitik und Ostpolitik sind abgeschlossene Kapitel, Deutschland ist vereint und die alte Bundesrepublik existiert nicht mehr. Jetzt bestimmen die Deutschen ihre historische Identität, ihren politischen Standort neu. Aber bisher sieht es nicht so aus, als erstrecke sich die Debatte über diese Neubestimmung, über das »Geschichtsbild« (Eberhard Jäckel), das neu gesucht werden muß, auf beide deutschen Gesellschaften und die zweierlei Vergangenheiten. Man könnte sogar sagen, die Vergangenheit, mit der Sie sich in Ihrer Rede vom 8. Mai 1985 auseinandergesetzt haben, gerate durch den Lauf der Ereignisse in Deutschland aus dem Blick.*

Nein, das sehe ich so nicht. Die Deutschen in der alten DDR befanden sich in einem Regime des staatlich verordneten Antifaschismus. Honecker, Sindermann und andere hatten ja auch in Zuchthäusern und KZs der Nationalsozialisten gesessen. Nun verhieß aber das Bekenntnis zum Antifaschismus eine Art allgemeiner Entschuldung gegenüber früheren Zeiten. Schuld und Sühne für die Vergangenheit wurden dem westlichen Deutschland allein überantwortet. So bekamen die Deutschen in der DDR kaum Gelegenheit, sich persönlich mit der Vergangenheit des Dritten Reichs auseinanderzusetzen. Sie waren es, die unter der Teilung litten. Ihr Teil Deutschlands wurde von Demontagen schwer geschädigt, dagegen nicht durch Marshall-Hilfe wieder aufgebaut. Sie hatten keine Bewegungsfreiheit, dafür um so schwerere Lebensbedingungen.

Daß eine geistig-moralische Arbeit und – soweit das überhaupt möglich ist – eine materielle Wiedergutmachung der nationalsozialistischen Vergangenheit auf diese Weise im wesentlichen dem Westen verblieb, das war, wenn man so will, ein kleiner Ausgleich von Gerechtigkeit für die Benachteiligung, der die Deutschen im Osten ausgesetzt waren.

Auf die Lücken, Versäumnisse, Hemmungen oder Bereitschaften im Westen, sich ernsthaft der Vergangenheit zu stellen, will ich jetzt hier nicht näher eingehen. Es ist eine wechselvolle, aber nicht vergebliche Geschichte. Sie haben meine Ansprache vom 8. Mai 1985 erwähnt. Auch in der ehemaligen DDR gab es dazu eine starke Resonanz, die nur unter den damals obwaltenden Umständen öffentlich nicht so hörbar war. Seit der Wende habe ich viele Zeichen dieser Resonanz verspürt und ich finde nicht, daß das, was zu sagen war und gesagt worden ist, sich im Lichte der Einheit nunmehr anders darstelle. Das darf nicht sein.

*Darauf wollten wir aber hinaus. Denn die Vereinigung kann ja – und wird – auch als versöhnlicher Schlußstrich unter die Geschichte der Hitler-Jahre gelesen, verknüpft mit der Aufforderung, ein »normales« Selbstbewußtsein zu zeigen. Auch Charles S. Maier, Autor des Buches »Die Gegenwart der Vergangenheit«, ein eindrucksvoller Kommentar zum Historikerstreit, widerspricht den Thesen von Ernst Nolte, die Vergangenheit endlich vergehen zu lassen, und kommt zu dem Ergebnis: »Wie die gelassene Zustimmung zur deutschen Einigung seitens der Nachbarländer und der Siegernationen von 1945 beweist, ist der Zweite Weltkrieg endlich bloß Geschichte geworden. Die NS-Vergangenheit ist, wenn nicht bewältigt, so doch begraben.«*

Bewältigt ist eine Vergangenheit bekanntlich nie. Und die Verantwortung für ihre Folgen hört gleichfalls nicht auf. Die ganze Schlußstrichkampagne ist uns aus der alten Bundesrepublik doch wohlbekannt. Sie ist kein Produkt der Vereinigung, die Vereinigung wird allenfalls als neuer Grund für eine alte These benutzt, die immer falsch war, und die uns – was mich beeindruckt – überdies kaum bei den Deutschen der alten DDR begegnet.

Was soll sich im Zeichen der Einheit am Gegenstand des Historikerstreits geändert haben? Ein gelernter Historiker bin ich nicht, habe mir aber erlaubt, mich zwei Mal zum Streit der Zunft zu Wort zu melden. Auf dem Deutschen Historikerkongreß, der sich vorläufig zum letzten Mal damit ernsthaft auseinandergesetzt hatte, habe ich zunächst gesagt, daß die Geschichte nicht den Historikern allein gehöre.

*Zum Entsetzen der Historiker.*

Und dann habe ich noch etwas dazugesagt. Alles vollzieht sich im Geflecht historischer Abläufe, und doch ist alles in der Geschichte singulär. Was soll es für uns bedeuten, ob Auschwitz einen Vergleich mit irgendetwas anderem in der Weltgeschichte aushalten könnte?

Auschwitz bleibt singulär. Es geschah im deutschen Namen durch Deutsche. So ist es unumstößlich und so wird es auch nicht vergessen.

Überdies habe ich mich auf jenem Historikerkongreß, der ziemlich genau ein Jahr vor der Wende stattfand, ausdrücklich auf das ganze Deutschland bezogen. Wir haben im Westen das Glück gehabt, schon länger in einer Demokratie zu leben, die sich nicht zuletzt in der Offenheit gegenüber ihrer Geschichte bewährt. Das ist es, was in des Wortes wahrer Bedeutung Selbstbewußtsein lehren kann. Darum haben wir uns in der alten Bundesrepublik unter Leiden und Mühen, Kämpfen und Verzögerungen in einer Weise bemüht, die im vereinigten Deutschland weiterwirkt.

*»In Deutschland wird die doppelte Vergangenheit exekutiert, als wäre sie zwei Mal die gleiche gewesen und was man nach 1945 versäumte, wird mit um so größerem Eifer nachgeholt.« So hat es der Historiker Eberhard Jäckel geschrieben, dem prompt eine Relativierung der SED-Herrschaft vorgeworfen wurde. Sozialismus und Nationalsozialismus seien nicht gleichzusetzen, sagt Jäckel – wir würden uns in dem Argument wiedererkennen –, der Sündenfall sei, daß ein Sozialismus ohne Demokratie geschaffen werden sollte. Jäckel schreibt nebenbei übrigens auch: Erich Honecker würde »wie Eichmann in Argenti-*

*nien gejagt, genauer: wie Eichmann von den Deutschen hätte gejagt werden müssen«.*

Wenn Freiheit unterdrückt, wenn Rechtsstaat durch Willkür ersetzt wird, dann ist dies wahrlich vergleichbar. Im übrigen aber sind die beiden Diktaturen in ihrer Entstehung und Zielsetzung ganz unvergleichbar. Wir haben dies vorhin schon berührt. Und am Ende der Nazizeit waren die meisten Opfer nicht mehr am Leben. Damals der Vergangenheit eingedenk zu werden und die Verantwortung für die Folgen zu übernehmen, war zugleich Gegenstand unserer Beziehungen zu fast allen unseren Nachbarn und anderen ferneren Völkern. Heute sind die Deutschen mit der Aufgabe der Vergangenheit unter sich. Die Opfer leben fast alle mitten unter uns.

*Es geht darum, wie weit die deutsche Geschichte jetzt neu zur Definition und zum Selbstverständnis dieses vereinten Deutschland beitragen soll oder muß. Mit anderen Worten, es geht um Nation, Patriotismus oder Verfassungspatriotismus im wiedervereinigten Deutschland. Einige, wie der Münchner Historiker Christian Meier, wünschen, daß wir Deutschen uns ausdrücklich an eine »Neubildung der Nation« begeben und für eine »mentale Integration« sorgen. Demgegenüber argumentiert beispielsweise der sächsische Ministerpräsident Kurt Biedenkopf, die Nationsuche habe die Deutschen in Katastrophen geführt, wir sollten uns auf neugestärkte Regionen (mit breiten Kompetenzen) konzentrieren und Identitäten dort suchen. Der Vereinigungsprozeß verlief jedenfalls ohne allzu nationale Töne, manche meinen sogar schon sagen zu können, die Deutschen seien endlich und gottlob in nationalen Fragen hoffnungslos unmusikalisch. Was halten Sie von dieser Debatte, zwei Jahre nach der Vereinigung?*

Zwischen uns Deutschen in Ost und West zusammenzuwachsen, das ist, wie wir es täglich erleben, schwer. Menschliche, soziale und wirtschaftliche Probleme tragen dazu bei. Doch ist dabei weder eine besondere Reserve noch ein ausgeprägter Überschwang im Sinne nationaler Gefühle zu konstatieren. Wir haben keine Ansprüche oder Abgrenzungsbedürfnisse gegenüber anderen Völkern. Wir empfinden, daß keiner unserer Nachbarn gegen unsere Vereinigung ernsthaft aufbegehrt hat, daß es also eine staatliche Vereinigung im Frieden mit unserer Umwelt ist. Wir spüren, wie deutlich unsere eigene Entwicklung mit den riesengroßen Aufgaben und hoffentlich auch mit den Fortschritten in ganz Europa verbunden sind. Das alles mindert nicht unsere Probleme im Inneren. Aber wo steht dabei ein Streit über Bildung oder Neubildung einer Nation im Vordergrund? Wir sind eine Nation unterwegs nach Europa.

Bei Charles S. Maier ist zu lesen, die Berlin-Republik werde eine andere Nation als die Bonn-Republik sein, sie werde irgendeine Art von »Pufferstaat« für die NS-Vergangenheit. Daran kann ich nicht glauben. Gewiß, es hat zumal im Zusammenhang mit dem Hauptstadtstreit starke Sorgen im Westen gegeben, man würde durch Berlin nun östlicher werden und müßte vielleicht die in der alten Bundesrepublik gewonnene Weltoffenheit wieder aufs Spiel setzen. Aber das hat zum einen nichts mit der Verantwortung für die NS-Vergangenheit zu tun. Und zum anderen kann ich nur sagen: Wir werden unsere Rolle als Motor für Europa und unsere Weltoffenheit um so mehr behalten, je besser es uns im eigenen Land gelingt, zusammenzuwachsen. Die Entscheidung über diesen Erfolg wird aber weder den Namen Berlin noch den Namen Bonn tragen und sie wird die Vergangenheit nicht verdrängen.

*Taugen in Ihren Augen die Begriffe etwas, Bonner Republik und Berliner Republik?*

Ich halte sie für überholte Begriffe aus der Zeit, in der wir uns mit Vehemenz um den Sitz der Hauptstadt gestritten haben. Der Hauptwert dieses Streites war, daß er uns die erste ernsthafte Auseinandersetzung über die tieferliegenden Aufgaben der Vereinigung gebracht hat. Wenn es dabei überdies gerade auch im Westen zu einer verstärkten Entdeckung der Vorzüge der alten Bundesrepublik gekommen war, Vorzüge, die früher oft stark kritisiert worden waren, so habe ich das als positiv empfunden. Es wird ja noch lange dauern, bis Berlin wirklich als Hauptstadt fungiert. Aber auch bis dahin werden wir in Berlin mehr als anderswo lernen, wo die Schwierigkeiten der inneren Vereinigung liegen und wie wir mit ihnen fertigwerden können.

Für das Thema Vergangenheit und das Bewußtsein der Deutschen von ihrer Nation leite ich aus den Begriffen Bonner oder Berliner Republik wenig her. Wir werden uns von Berlin aus nicht weniger um die europäische Integration bemühen müssen als heute von Bonn aus um Warschau und Prag.

*Die Gegenposition zu der These, die von einer Natürlichkeit des Nationalstaats handelt, vertritt am konsequentesten und einleuchtendsten Jürgen Habermas. Er meint, wir sollten die Last der Geschichte mit dem Bekenntnis zu universellen Werten kompensieren. Und er wendet sich gegen eine Rückkehr des Nationalstaats-Denkens – Habermas spricht von einer postkonventionellen Identität. Seine Formel dafür heißt: Verfassungspatriotismus. Das wäre keine Buße für die deutsche Vergangenheit, sondern eine stolze Errungenschaft der Moderne.*

Der Gedanke des Patriotismus hat ältere Wurzeln als der Begriff der Verfassung oder jener der Nation. Patriotismus verbindet sich mit Städten und Gemeinden, mit Sprachen und Dialektgemeinschaften, mit religiöser Zusammengehörigkeit oder überlieferter Kultur. Er wurde aber, als die Nation in Europa in den Mittelpunkt der Begriffe gerückt wurde, eben durch diese Nation vereinnahmt, monopolisiert und schließlich pervertiert. Die unheilvollen Auswirkungen in unserer europäischen Geschichte kennen wir. Das vom Patriotismus erzeugte Gefühl persönlicher, uneigennütziger Vaterlandsliebe wurde für Feindschaft, nationalen Egoismus, Abgrenzung gegen andere Völker mißbraucht. Das war eine europäische Fehlentwicklung, keine allein auf Deutschland beschränkte.

*Aber Sie sagen auch, der Patriotismus braucht eine Patria. Der Begriff des »Verfassungspatriotismus« scheint Ihnen unzureichend?*

Ja, aber die Patria ist nicht ihrer Definition nach die Nation. Das ist eine Erfindung des 19. Jahrhunderts.

Gewiß lohnt es, wieder zwischen verschiedenen Ländern zu unterscheiden. Franzosen sind in der glücklichen Lage zu sagen: Für uns stellt sich das Habermas-Problem nicht, denn für uns ist die Nation sowieso gleichbedeutend mit den großen Zielen der Französischen Revolution, die ja der ganzen Menschheit gewidmet sind. Man darf hinzufügen, daß die Französische Revolution mit ihren Idealen allerdings ganz woanders zuerst verwirklicht worden ist als in Frankreich selbst.

Zu dem Nationenbegriff des 19. Jahrhundert werden wir Deutschen nicht zurückkehren. Damit ist das Bedürfnis nach Patriotismus durchaus nicht zu Ende. Löst man es von der Nation und versucht es auf ein Wertesystem zu beziehen und dazu noch allein auf dieses Wertesystem, dann fehlt ihm der Ort. Dann beschränkt sich Patriotismus auf Einsicht, ohne instinktive Empfindungen einzubeziehen. Dann wird Patriotismus so allgemein, so universal und in gewisser Weise auch so diffus, daß er nicht mehr hinreichend beheimatet.

*Mit diesen Gedanken einer postkonventionellen Identität, einer Identität jenseits des Nationalen, die letztlich auf universellen Werten im Rahmen einer Verfassung beruht, können Sie sich also nicht richtig anfreunden?*

Die ganze Diskussion über den Verfassungspatriotismus habe ich lebhaft begrüßt. Werte der Verfassung können und sollen auch patriotisches Handeln und Empfinden maßgeblich mitbestimmen. Aber es ist doch wohl kein Zufall, daß aus der Debatte über den Verfassungspatriotismus schließlich der Gedanke des Menschenrechtspatriotismus geworden ist. Er wird dann völlig losgelöst von geographischem Raum und heimatlichem Ort. Ob die Menschheit je so weit kommt, weiß ich nicht, jedenfalls ist sie es heute nicht.

Wir Deutschen jedenfalls werden nicht in die alte Nation zurückkehren. Für einen ausschließlichen, auf die

Nation beschränkten Patriotismus bietet sich kein Raum. Im postkonventionellen Zeitalter werden in Europa die übernationalen Einrichtungen der Gemeinschaft funktional an Bedeutung wachsen. Gleichzeitig wird das Verlangen nach Beheimatung in den Regionen dadurch eher wachsen. Sie erfüllen sich ja auch überall in Europa neu mit Leben. Und wir in Deutschland sind mit unserer auf dem Föderalismus aufgebauten und konzipierten Nation da gar nicht so schlecht dran.

*Manche der Regionen nennen sich allerdings schon wieder Nationen, wie beispielsweise die Separatisten in der Lombardei.*

Oder die Katalanen, deren Mehrheitspartei sich national nennt, um damit eine stärkere Unabhängigkeit gegenüber Madrid zum Ausdruck zu bringen. Das alles ist ein Gemisch von neuen Gefahren und Chancen. Dennoch bleibe ich dabei, daß eine funktionale Stärkung der übernationalen Institutionen unausweichlich ist, wenn wir mit unseren fast durchweg grenzüberschreitenden Problemen fertigwerden wollen, daß aber die Menschen deswegen nicht das Gefühl dafür verlieren dürfen, wo sie wirklich zu Hause sind. Ob man das Bundesland, Region, Nation oder noch anders nennt, das ist von Land zu Land verschieden. Nur verschone man uns mit Drohungen oder Verlockungen aus einer europäischen Geschichtsepoche, in der wir nicht mehr leben.

*Wir möchten doch noch einmal etwas Wasser in den Wein gießen, mit Hilfe von Charles S. Maier. Das größere Deutschland werde es schwerer haben, meint er, seine post-*

*konventionelle Identität zu bewahren. Vielmehr werde sich Deutschland, und gerade mit Regierungssitz in Berlin, zu »einer Nation wie die anderen« entwickeln müssen. »Das neue Deutschland ist nicht mehr darauf angewiesen, postkonventionell zu sein. Hoffentlich wird es dennoch nicht darauf verzichten.«*

Wer so argumentiert, denkt zuviel an die Vergangenheit, projiziert sie zu rasch in eine imaginäre Zukunft und überspringt die Mühen der Gegenwart, die uns aber nicht nur bremsen, sondern auch ganz heilsam immer wieder korrigieren.

Unsere Verfassungsgrundsätze sind recht stabil. Die allgemeinen Menschenregeln stehen an ihrem Anfang. Jetzt, da die Teilung aufgehoben ist, haben wir alle Hände voll damit zu tun, zusammenzuwachsen und gleichzeitig Europa voranzubringen. Das schwächt aber nicht, sondern stärkt mancherorts eher das Lebensgefühl in den Bundesländern.

Für viel wichtiger halte ich die Frage nach der Lebenskraft der liberalen Demokratie. Bei uns besteht sie in der Gestalt eines Parteienstaats. Wir brauchen die Parteien. Es geht nicht ohne sie. Doch die Parteien brauchen die Bürgergesellschaft. Darunter verstehe ich nicht nur örtliche Initiativen für die Lösung bestimmter sozialer oder anderer Probleme, sondern auch die konzeptionelle, politisch-geistige Beteiligung an den Problemen unserer Zeit. Unternehmer, Gewerkschaften, Kirchen, wissenschaftliche Disziplinen, Intellektuelle, Medien, sie alle haben teil an der Lebensfähigkeit der liberalen Demokratie. Parteien können gar nicht anders, als um den nächsten Wahlsieg kämpfen; das ist ihr Auftrag. Wenn nun aber eine Gesellschaft, wie dies in der alten Bundesrepublik zum Glück geschehen konnte, einen im Weltmaßstab großen Wohlstand erreicht hat, dann entsteht im Verhältnis zu den Parteien die typische Gefahr: Ein Geschäft auf Gegenseitigkeit, nämlich Wohlstanderhaltung gegen Machterhaltung. Dies wird begleitet, paradoxerweise, von wachsendem Mißtrauen gegen Parteien und doch auch wachsender Verführbarkeit von Wählern. Aber nicht in der Kritik an den Parteien wird sich der Schlüssel für die Lebenskraft der liberalen Demokratie finden, sondern in der lebendigen Bürgergesellschaft, die den Parteien konzeptionell vorarbeitet und ihnen dann auch mit größerem Recht politische Führung abverlangen kann.

# Das Ende der Nachkriegsordnung oder Deutschlands Bewährung in der Außenpolitik

weil wir Bücher machen, die wir selbst gerne mögen. Literatur und Sachbuch, Nonsens und Satire, Aktuelles und Klassisches, leichte Unterhaltung und Lektüre mit Tiefgang. Das Programm ist bunt und widersprüchlich wie wir selbst.

Genau betrachtet passen wir in keine Schublade: Den Karrieristen sind wir zu unangepaßt, den Betroffenheitsfanatikern zu optimistisch, den Spießern zu progressiv, kritisch und frech. Den Feministinnen gehen wir nicht weit genug, die Reaktionäre können uns nicht ausstehen, und die Friedensapostel finden uns zu lebenslustig. Den Intellektuellen sind wir nicht intellektuell und den Weltverbesserern nicht asketisch genug. Und – Gipfel der Unverschämtheit! – wir fühlen uns auch noch wohl dabei.

Langeweile ist uns ein Greuel; wir sind neugierig, ziemlich unbequem und wir streiten gern. Mit einem Wort: Arbeit und Spaß passen bei uns unter einen Hut.

Die 60-Dpf-Marke

# Ja, den Verlagsprospekt gern haben.

Meine Anschrift lautet:

Name, Vorname

Straße

Land Plz Ort

Unsere beiden Lieblingsbücher:

16,80 DM

16,80 DM

ANTWORT

Eichborn Verlag

Hanauer
Landstraße 175

D-6000 Frankfurt 1

*Deutschland muß nach der Vereinigung und den dramatischen Veränderungen in Europa seinen außenpolitischen Standort neu bestimmen. Wie lassen sich die »deutschen Interessen« in dieser veränderten Lage definieren und wie läßt sich die neue Lage überhaupt beschreiben?*

Ich kann nicht isoliert über die deutschen Interessen sprechen. Ohne eine Analyse der Gesamtlage lassen sich weder die Chancen und Risiken noch die Interessen Deutschlands schildern.

Die Einteilung in Erste, Zweite und Dritte Welt hat sich bis in die späten achtziger Jahre erhalten. Das Ende des Kalten Krieges und des Ost-West-Gegensatzes hat sich in allen Teilen der Welt ausgewirkt. Im alten Ostblock – der nach diesem Schema also die »Zweite Welt« war, obwohl sie selten so genannt wurde – sind Reformbewegungen für politische Freiheit und wirtschaftliche Leistungsfähigkeit im Gang. Zur Zeit herrscht ein Zustand von Glasnost ohne Perestroika. Es vollzieht sich ein Prozeß der Dezentralisierung und Destabilisierung.

*Meinen Sie damit den gesamten ehemaligen Machtbereich Moskaus?*

Im wesentlichen beziehe ich mich auf die alte Sowjetunion. Aber auch bei ihren ehemaligen Verbündeten läßt sich beobachten, wie nicht ein System in ein anderes übergeht, sondern wie das eine System am Ende angelangt ist, ohne daß ein neues schon definitiv erreicht wäre.

Die »Dritte Welt« nennen wir unverändert so. Auch sie ist davon betroffen, daß der Ost-West-Gegensatz nicht fortdauert. Manche ihrer Länder wurden oft genug von beiden Lagern des Kalten Krieges gegeneinander instrumentalisiert, zum Teil auch diszipliniert. Die Dritte Welt ist kein monolithischer Block. Insgesamt befindet sich die südliche Halbkugel aber am Ende des Kalten Krieges in einer schweren Lage, zum Teil schlechter als am Anfang.

*Heute gerät sie sogar noch mehr in Vergessenheit.*

Heute ist sie vor allem deswegen noch vergessener, weil die Erste Welt sich nach dem Fortfall der Spannung mit der Zweiten nun wieder prioritär mit sich selbst beschäftigt. Sie wendet sich ihren im Hintergrund gebliebenen internen Schwächen und Aufgaben zu. Ein vom Kalten Krieg befreiter, stärker introvertierter – soll man sagen: noch stärker introvertierter? – Westen tritt jetzt hervor.

Natürlich muß man überall differenzieren, zumal in der Dritten Welt. So erleben wir z. B. in weiten Teilen Afrikas Enttäuschung und Abwendung vom Staatssozialismus und dafür ernste Versuche, sich der Marktwirtschaft und Demokratie zuzuwenden. Ein überaus schwieriges Unterfangen, denn die Zusammensetzung und die Überlieferungen der Stämme und Völker, ihre wirtschaftliche Leistungsfähigkeit und ihr Ausbildungsstand lassen eine Übernahme westlicher Demokratiebegriffe und Marktgesetze nicht ohne weiteres zu.

*Der Pluralismus ist vermutlich noch schwieriger zu übertragen als demokratische Verfahrensweisen oder Organisationsformen.*

In manchen dieser Staaten wird ein künstlicher Pluralismus aus der Retorte erzeugt, um die westliche reiche Welt zur Zusammenarbeit zu animieren, obwohl das, was bei uns einen solchen Pluralismus auf organische Weise demokratisch zur Geltung zu bringen vermag, dort nicht vorhanden ist.

In wichtigen asiatischen Ländern liegen die Dinge wieder anders. Dort ist bisher nicht ausgemacht, daß etwas übernommen und verwirklicht wird, was sich bei uns im Westen allmählich durchgesetzt hat, nämlich ein ziemlich untrennbarer Zusammenhang von Demokratie und Marktwirtschaft. In Asien kann man da und dort auf Gedanken stoßen, die sich auf einen aufgeklärten Konfuzianismus berufen und argumentieren: »Wir glauben an die Initiativkräfte des einzelnen. Damit nähern wir uns an das an, was Ihr im Westen den Markt nennt. Damit prosperieren wir recht gut und entwickeln zugleich unsere eigenen politischen Herrschaftsformen, so wie sie sich aus unseren Überlieferungen ergeben, nicht aber nach Euren westlichen Demokratiebegriffen.«

*Das könnte sich trotzdem kulturell eher berühren mit dem Denken im Westen als manches im islamischen Fundamentalismus.*

Dies ist nun das Dritte, der breite islamische Gürtel, der sich von Marokko quer durch Asien bis nach Indonesien hin zieht. Das islamische Denken hat wiederum ganz eigene Grundsätze und eine andere Qualität als der aufgeklärte Konfuzianismus. Religion und Staat haben im Islam eine grundlegende, ursprüngliche Beziehung zueinander, wenn auch in höchst unterschiedlicher Form – von der säkularisierten Spielart bis zum Gottesstaat. Das, was uns in der islamischen Welt heute besonders beschäftigt, ist der Fundamentalismus. Zumeist sind es religiöse Führer, die die schwere wirtschaftliche Enttäuschung und soziale Not der Bevölkerung politisch mobilisieren.

Wir haben also Demokratie – und Pluralismusbekenntnisse aus Afrika, die stark durch den Wunsch entwicklungspolitischer Zusammenarbeit mit den Industrieländern motiviert sind, dann die durchaus selbstbewußte Haltung in asiatischen Ländern, in denen die Marktwirtschaft weit ernster genommen wird als die Demokratie. Und drittens den islamischen Gürtel, der sich mit oder ohne Fundamentalismus darum bemüht, aus der Religion gesellschaftlichen Zusammenhalt und politische Kraft abzuleiten. Überall in der afrikanisch-asiatischen Welt sind starke Entwicklungen im Gang. Auch Lateinamerika ist in Bewegung, doch in einem dem Westen traditionell näheren und verständlicheren Sinn.

Und nun also die Welt der G 7-Staaten und insbesondere der Westen nach dem Wegfall der jahrzehntelang vorherrschenden Ost-West-Spannungen. Eine Demokratie ist ohnehin so angelegt, daß die Regierungen außenpolitisch am liebsten das tun, was ihnen innenpolitisch nützt. Dafür gibt es nun noch mehr Rückenwind, weil sich die Aufmerksamkeit für innenpolitische Aufgaben und Rückstände verstärkt hat. Zwei ganz unterschiedliche Beispiele dafür sind Deutschland und die Vereinigten Staaten von Amerika.

*Könnte darin nicht die Chance stecken, daß nach dem Ende der großen Systemkonflikte die Modellexportpolitik eingestellt wird? Also nicht länger ersatzweise auf dem Boden islamischer, afrikanischer oder asiatischer Staaten um Systeme zu kämpfen? Obwohl dem sicher der Euro-Narzißmus entgegensteht, Europa wird von seinen augenblicklichen eigenen Problemen dramatisch beherrscht.*

Nach meiner Meinung gibt es zwei Gefahren, die wir meiden müssen. Die eine besteht darin, ideologische Kreuzzüge in der Dritten Welt zu führen oder dort machtpolitische Stellvertreterkonflikte zu führen. Auf der anderen Seite dürfen wir uns mit unseren innenpolitischen Problemen und mit unserem Potential nicht abschließen und einmauern. Das Grundgesetz der heutigen Welt ist die wachsende Interdependenz. Unsere Mitverantwortung dafür und unsere eigenen Interessen daran fließen untrennbar ineinander über.

*Sie erwähnen Amerika und Deutschland als Beispiele. Wofür stehen die beiden in dieser Hinsicht, wofür sollten sie stehen?*

In beiden Ländern zeitigt die innere Lage neue außenpolitische Folgen, zunächst Amerika. Die Ära Reagan war durch eine Politik der Stärke gegenüber der Sowjetunion geprägt. Innenpolitische Spannungen und Schwächen ließ man so wenig wie möglich an die Oberfläche des Bewußtseins dringen.

Nach dem Zeitalter der starken Rüstungen und zugleich Steuersenkungen unter Reagan hat nun eine Phase begonnen, in der beinahe jede außenpolitische Aktion und Reise des Präsidenten unmittelbar und offen erkennbar mit innenpolitischen Zielen verbunden ist. So ist Bush im Winter 1991/1992 mit den drei wichtigsten Automobilindustriellen nach Japan gereist.

Bekanntermaßen sind die innenpolitischen Verhältnisse in Amerika voller Gegensätze. Neben den besten Universitäten, die die Welt kennt, steht ein recht durchschnittliches Schul- und Berufsbildungssystem. Beispielhaft blühende Landstriche kontrastieren mit Elendsvierteln. Die Lebenschancen sind höchst unterschiedlich. Die stark gestiegene Einwandererzahl der Hispanics und Ostasiaten führt zu neuen sozialen Spannungen nicht zuletzt zwischen ihnen und den Schwarzen, siehe Los Angeles. Die private Initiative und Selbsthilfe für die Kommunen, die Vereine und die kirchlichen Gemeinden, ohne stets gleich nach dem Staat zu rufen – sind wahrhaft eindrucksvoll.

Andererseits beklagen die Amerikaner immer wieder, man dürfe in ihrem Land doch möglichst nur dann alt und krank werden, wenn man es sich auch finanziell leisten könnte. Die amerikanische Gesellschaft ist im allgemeinen so konsumfreudig, daß den Konjunkturpolitikern das Herz lacht. Der Sparwille aber ist nach wie vor unterentwickelt. Die gigantische Verschuldung Amerikas wächst noch immer. Es ist das reichste Land der Welt. Es ist der größte Schuldner der Welt.

*Seit kurzer Zeit. Der britische Historiker Paul Kennedy folgert daraus sogar, es handle sich um den Niedergang eines Imperiums, der in der Geschichte vorgezeichnet und praktisch unaufhaltsam ist.*

Für vorgegeben und zwangsläufig halte ich gar nichts, zumal nicht in Amerika. Dort lebt ein vergleichsweise nach wie vor junges Volk, das allem verschwenderischen Konsumismus zum Trotz immer wieder in der Lage ist, sich mit starken Gefühlen zu mobilisieren und frische Kraft zu neuen Wegen zu finden.

Das gewaltige und allen Versprechungen zum Trotz bisher weiter wachsende Haushaltsdefizit ist für Amerika und natürlich auch für seine Gläubiger gefährlich. Die inneren Mängel und Spannungen sind groß. Aber die USA haben immer wieder die Kraft zur Erneuerung bewiesen. Und daß es zu einem echten neuen Isolationismus käme, ist ganz und gar unwahrscheinlich. Amerika ist im Laufe dieses Jahrhunderts Schritt für Schritt und gegen immer neuen inneren Widerstand in seine Weltführungsrolle hineingewachsen, aus der es kein Entrinnen gibt. Gerade für Amerika gilt die schon erwähnte Untrennbarkeit zwischen Verantwortung und Eigeninteresse. Amerika wird diese Rolle eigenwilliger und wohl auch unberechenbarer spielen als in der Zeit des Kalten Krieges. In wichtigen Fragen wird seine zu schwache ökonomische Basis Auswirkungen haben. Das zeigt sich schon heute bei der inneramerikanischen Debatte darüber, wer zukünftig auf der Welt zu den Bundesgenossen und wer zu den Gegnern zählt, oder wer beides zugleich ist.

*Man kann argumentieren: Gerade dann wird der Konkurrenzkampf zwischen den ökonomischen Riesen gewaltig. Diese These gibt es nun auch, daß Amerika, Westeuropa – besonders Deutschland – und Ostasien mit Japan an der Spitze untereinander die Konkurrenzkämpfe in dieser globalisierten Welt austragen und die sogenannte Dritte Welt noch mehr ins Abseits gerät.*

Das halte ich für vollkommen zutreffend. Man beschäftigt sich zumal in Amerika gern und intensiv mit der Frage, wer als die führende Macht dem 21. Jahrhundert den Namen geben wird. Wird es wieder Amerika sein, so wie im 20. Jahrhundert? Oder werden Japan oder Europa den USA den Rang ablaufen? Es ist gerade die gestiegene Aufmerksamkeit für die innenpolitischen Schwächen in Amerika, die solche Diskussionen weit stärker beleben als die Frage, was aus der Dritten Welt wird.

Ein klassisches Beispiel erleben wir im ersten Halbjahr 1992 bei der Uruguay-Runde des GATT, über die nun schon seit Jahren verhandelt wird. Die reichen Wirtschafts- und Handelsländer der Welt sind die Erfinder, die Protektoren, die Ankläger und die Angeklagten der Uruguay-Runde, alles in einem. Im Bereich der Landwirtschaft, von dem man am meisten hört, ist es besonders schwierig. Die Europäische Gemeinschaft hat es mit der Landwirtschaftspolitik am schwersten, zumal dort, wo es um die Existenz kleiner bäuerlicher Familienbetriebe geht. Daher ihre Linie: Sie subventioniert hoch, produziert zuviel, verkauft per Dumping, verdrängt effektivere Produzenten und eliminiert mehr als eines der ärmsten der Entwicklungsländer von den Märkten mit bösen Folgen. Das Verhalten der USA fällt quantitativ etwas geringer ins Gewicht, ist aber prinzipiell nicht besser. Hinzu kommt die für uns kaum annehmbare protektionistische Haltung der Amerikaner im Bereich der Dienstleistungen und des geistigen Eigentums.

Die Exekutive hat es in Amerika im allgemeinen sehr schwer, beim Kongress Gelder für die Dritte Welt bewilligt zu bekommen. Der erwartete Ringkampf Amerikas mit Japan und Europa steht weit vorn im Bewußtsein. Dennoch fühlt man sich als die einzige übriggebliebene

Weltführungsmacht. Danach dürfte sich die Politik richten, die von Washington ausgeht. Die eigenen amerikanischen Interessen werden dabei klarer beansprucht werden.

Der Golfkrieg mußte geführt werden, um einen Völkerrechtsbruch à la Saddam Hussein in Kuweit nicht ungestraft durchgehen zu lassen. Ganz gewiß handelt es sich nicht um den einzigen Völkerrechtsbruch dieser Art in der Welt, wohl aber um den ersten, bei dem die ständigen Mitglieder des Sicherheitsrats unter ganz eindeutiger Führung der Vereinigten Staaten geschlossen vorgingen. Mit anderen Worten: Die Koinzidenz von notwendigem Schutz für das Völkerrecht mit den eigenen Interessen hat dazu geführt, daß die USA sich hier mit voller Wucht engagierten. Es gibt andere Fälle, bei denen sich zeigen wird, daß Amerika die Regelung von Krisen ganz gerne anderen überlassen und sich nicht daran beteiligen wird.

*In Deutschland wirken sich die innere Lage des Landes, der Verlust alter Grundmuster, die neuen Unsicherheiten in der Standortsuche offenkundig ebenfalls auf die Außenpolitik aus.*

Manche Partner und Nachbarn meinten zunächst, wir Deutschen seien die einzigen, die von der Beendigung des Kalten Krieges wirklich profitiert hätten. Sie blickten mit einiger Sorge auf die Konsequenzen für das Verhalten Deutschlands nach der Vereinigung. Man hatte uns im Zuge der Vereinigung vielfach zu rasch als neue eigenwillige Großmacht gesehen. Nun wird man allmählich der Schwierigkeiten bei uns gewahr und spricht bereits da und dort von »deutscher Krankheit«. In Wahrheit sind wir weder Giganten noch krank.

Unsere innere Einheit politisch, wirtschaftlich, sozial und menschlich zu vollenden, ist in der jetzigen Phase unsere wichtigste Aufgabe. Es bindet viel von unseren Kräften, noch auf lange Zeit. Ich denke, die Welt hat inzwischen verstanden, daß diese Aufgabe schwierig ist und daß eine Regierung, die an ihr scheitern würde, kein verläßlicher internationaler Partner sein könnte. Es liegt nicht nur in unserem eigenen, sondern im Interesse aller, daß die Vereinigung innerlich gut gelingt.

Während des Golfkrieges hörte sich dies teilweise noch etwas anders an. Man warf uns vor, in der internationalen Politik abwesend zu sein, weil wir uns zu sehr mit der Wiedervereinigung beschäftigten. Nun ist es zwar richtig, daß die deutsche Politik in der zweiten Hälfte des Jahres 1990 mit dem Einigungsvertrag, den »2 + 4«-Verhandlungen und den Wahlkämpfen beschäftigt war. Aber hat sie deshalb in der Vorbereitung und Durchführung des Golfkrieges etwas unterlassen, was vernünftigerweise von ihr zu erwarten gewesen wäre? War sie um der Einheit willen abwesend?

Meine Antwort lautet: Nein. Zwar gab es die schreckliche deutsche Beteiligung aus früherer Zeit an nun zur Geltung kommenden Waffen des Irak, ferner manche unsägliche logistische Panne. Und außerdem trat die deutsche Position erst nach allen möglichen kritischen internationalen Rückfragen klar zutage. Aber Deutschland war während des ganzen Golfkrieges nicht abwesend und das, was es gemacht hat, war nicht falsch. Es hätte alles nur klarer und früher zum Konzept gemacht, erklärt und deutlich und ohne alle Skrupel vertreten werden können und müssen.

*Der Golfkrieg ist als die erste große außenpolitische Her-*

*ausforderung für das vereinte Deutschland verstanden worden, als Test für das politische Selbstverständnis.*

Nach meiner Überzeugung hätte die deutsche Position im Golfkrieg diesselbe sein müssen, auch wenn es keine Ablenkung durch die Vereinigung gegeben hätte. Das, was zum Golfkrieg für Bonn möglich und von Bonn zu erwarten war, hat sich durch die Vereinigung objektiv nicht verändert.

Erlauben Sie mir den Versuch, die außenpolitische Lage Deutschlands etwas grundsätzlicher und anhand der geschichtlichen Entwicklungen zu beschreiben. Die Voraussetzung ist immer dieselbe: Deutschland liegt in der Mitte des Kontinents und hat mehr Nachbarn als alle anderen europäischen Staaten. Diese Lage hat nach der Reichsgründung zunächst zu einer Politik der Balance, des Ausgleichs und in manchen Fällen sogar der Schiedsrichterrolle geführt. Das ist die große Zeit von Bismarck, die aber auch schon ihn selbst gegen Ende seiner Amtszeit an den Rand seiner Kunst brachte.

Die nächste Phase handelt von Übergang zur direkten Großmachtspolitik. Denn zu einer Balance auf dem Kontinent schien Deutschland zu groß zu sein. Nun folgten Versuche zur Hegemonie. Zwei verschiedene, schwer vergleichbare Versuche gab es, einerseits unter Wilhelm II. und andererseits im Dritten Reich. Dieser Abschnitt endete mit dem Zusammenbruch und der Teilung.

Für die DDR folgte eine Zeit der erzwungenen Eingliederung in den Ostblock. In der bevölkerungsreicheren, wirtschaftlich größeren und politisch wichtigeren Bundesrepublik dagegen stellte sich eine fundamentale Neuorientierung ein. Ermutigt von den Amerikanern im Zeichen des beginnenden Ost-West-Gegensatzes und durch die Marshall-Hilfe, beflügelt von den Ideen Jean Monnets kam es zur Westorientierung. Politisches Bündnis, wirtschaftliches System, demokratische Verfassungsprinzipien, menschenrechtliche Überzeugungen und allgemeine Lebensgewohnheiten integrierten uns in den Westen.

Eine Phase des allmählichen wirtschaftlichen Aufstiegs begann. Die Westdeutschen legten die Grundlage für ihren Wohlstand, gewannen neues Ansehen und einen guten Ruf in der Welt, banden sich ein in eine Partnerschaft, die es ihnen erlaubte, ein bedeutendes internationales und wirtschaftliches Gewicht zu entwickeln, ohne mit allzu großen darüber hinausgehenden schwierigen eigenen politischen Entscheidungen belastet zu sein. Ein gewichtiger und treuer Bündnispartner, der zur festen Haltung des Westens und später zur Entspannungspolitik wesentlich beitrug. Es folgte die große Zäsur, deren Ausgangspunkt die Reformpolitik Michail Gorbatschows bildete und die zur Überwindung der Teilung Europas und für uns Deutsche zur Vereinigung führte.

*Welche Veränderungen wird das mit sich bringen?*

Außenpolitisch werden nach meiner Überzeugung nicht die Veränderungen im Vordergrund stehen, sondern die Kontinuität. Damit meine ich vor allem anderen die Westorientierung, oder anders gesagt die Befreiung von der Mittellage, mit der die Deutschen bis zum Ende des Zweiten Weltkrieges nie fertig geworden sind. Für die Westdeutschen liegt dies auf der Hand. In ihrem Teilstaat haben die letzten Jahrzehnte ein Gefühl der tiefgehenden Identifizierung mit der westlichen Welt mit sich gebracht. So sieht es bei den Deutschen in der ehemaligen

DDR bisher zweifellos nicht aus. Dennoch sehe ich auch bei ihnen durchaus keine Sehnsucht nach der alten, zwiespältigen deutschen Mittellage ohne Anker.

*Außer, daß gelegentlich nachdenkliche Leute wie Wolfgang Thierse oder Jens Reich sagen, sie verstünden sich auch als Osteuropäer oder doch als Interessen-Sachverwalter auch von osteuropäischen Belangen.*

Das haben aus gutem Grunde die meisten Sprecher nach der Wende in der DDR gesagt. Sie wollten die fortdauernde Zusammengehörigkeit mit dem Schicksal ihrer östlichen Nachbarn zum Ausdruck bringen. Gemeinsam war man in einen Block und in ein System genötigt worden. Parallel zueinander hatte man sich auf eine Wende zubewegt. Und nun teilt man die Arbeit zum Aufbau der freiheitlichen Demokratie und an der Wirtschaftsreform. Wenn sie uns im Westen daran immer wieder mahnen, haben sie völlig recht. Aber so gut wie keiner von ihnen folgert daraus, daß das vereinigte Deutschland den Weg der Westintegration wieder verlassen sollte, den die alte Bundesrepublik vorgezeichnet hatte.

Von der Mittellage endgültig befreit zu sein, wünscht nicht nur der, der wie Adenauer sein ganzes Leben lag mißtrauisch auf Ostelbien und ein Preußenberlin geblickt hat, sondern auch der, welcher es zu den wichtigsten Aufgaben des vereinigten Deutschlands zählt, auf das engste mit dem Osten zusammenzuarbeiten und ihm bei der Überwindung seiner übergroßen Probleme so gut wie möglich zu helfen.

Deutsche Ostpolitik nach dem Ende des Kalten Krieges und nach der Vereinigung ist eben gerade nicht der

Einstieg in den Umstieg von der westeuropäischen Integrationspolitik zu einer Politik nationaler Alleingänge in alter neuer Mittellage.

*Obschon sie in ihrer früheren Phase häufig so mißdeutet oder auch diffamiert wurde.*

Solche Verdachtsmomente tauchten bei Leuten auf, die glaubten, wir lebten immer noch im Zeitalter von Rapallo. Aber das ist ein Irrtum. Statt dessen gibt es heute in der Europäischen Gemeinschaft eine gewisse Arbeitsteilung. Jeder Partner hat seine bevorzugte Blickrichtung. Spanien und Portugal erweitern den europäischen Horizont in Richtung auf Lateinamerika. Frankreich wendet sein besonderes Augenmerk seinen südlichen Nachbarn und der frankophonen Welt in Afrika zu. Wir Deutschen sind die unmittelbaren Nachbarn des Ostens. Von dort haben wir zumeist die besseren Informationen, wir sind die zuerst Betroffenen und die besonders vital Interessierten. Aber das gewaltige Ausmaß der Aufgaben östlich von uns erfordert die gemeinsame Anstrengung des Westens. Wir Deutschen können es weder materiell allein leisten noch wollen wir es politisch wie ein Monopol behandeln. Wir sind nur der wichtigste Motor oder Wegweiser für die Ostpolitik der EG-Partner, der Amerikaner oder der Teilnehmer der Weltwirtschaftskonferenz.

Man braucht sich doch nur die Größenordnungen vor Augen zu halten. In der ehemaligen DDR leben 16 Millionen Menschen. Zum Zweck der Angleichung der Lebensbedingungen und Lebenschancen ist ein Zeitraum von vermutlich mehr als zehn Jahren erforderlich, auf den sich die gesamte wirtschaftliche Grundrechnung im

Westen Deutschlands einzustellen hat. Wie soll es denn für Deutschland darüber hinaus möglich sein, die Probleme von über 300 Millionen östlich von uns lebenden Menschen allein schultern zu wollen? Das wäre eine absurde Vorstellung.

Im übrigen fügen sich auch innerhalb des vereinigten Deutschland unterschiedliche Akzente zu einer politischen Gesamtlinie zusammen. Wer in Brandenburg oder Sachsen lebt, verspürt deutlicher als der Südwestdeutsche, wie wichtig es ist, daß wir die Entwicklung in der CSFR und in Polen aufmerksam und konstruktiv begleiten.

*Vielleicht ist die Angst, die man jetzt bei europäischen Nachbarn heraushört, gar nicht so sehr, die Deutschen könnten in die alte Mittellage zurückkehren, sondern einfach das ungewisse Gefühl, Deutschland werde sehr groß und mächtig.*

Das halte ich für richtig und für verständlich. Die beiden deutschen Teilstaaten waren während des Kalten Krieges in ihrem jeweiligen Bündnissystem die stärksten europäischen Wirtschaftsmächte. Nun werden sie eins. 80 Millionen Menschen, mit ihrer zusammengefügten Wirtschaft, sind gegenüber jedem für sich allein betrachteten Nachbarn eine unheimliche Größe. Beim Ringen um die staatliche Vereinigung Deutschlands während der Konferenzserien des Jahres 1990 spielte es daher eine herausragende Rolle, welche politische Einbindung das vereinigte Deutschland haben werde. Ich erinnere nur an drei Positionen:

Zum ersten die USA: Von ihnen ging der stärkste Rückenwind für die staatliche Vereinigung im Rahmen der »2 + 4«-Konferenz aus. Dabei haben die Amerikaner aber von vorneherein den größten Wert darauf gelegt und es zur Bedingung gemacht, daß das vereinigte Deutschland Mitglied der NATO sein und bleiben werde. Motiv: Nicht nur Erhaltung des starken europäischen NATO-Partners für die USA, sondern auch fortdauernde politische Einbindung des nun größer gewordenen Deutschlands als Schutz der anderen vor einer neuen deutschen Versuchung zu nationalen Alleingängen.

Die zweite besonders starke Unterstützung für den Vereinigungsprozeß kam von der EG-Kommission, insbesondere von ihrem Präsidenten Jacques Delors. Auch er sah nicht nur die Unausweichlichkeit der Vereinigung Deutschlands aufgrund der Prinzipien, zu denen sich die EG bekennt. Sondern die Einbeziehung der ehemaligen DDR nunmehr als Teil des vereinigten Deutschlands in die EG-Mitgliedschaft ohne die sonst üblichen Beitrittsverhandlungen sollte die fortdauernde Westbindung des größer gewordenen Mitgliedslandes sichern.

Aber bei der Haltung von Bush und Delors ging es nicht um Positionen, die den Deutschen aufgezwungen werden mußten. Wir selbst wollten es nicht anders. Es ist ja kein Zufall, daß gleichzeitig mit unserer nationalen Vereinigung Deutschland und Frankreich die Initiative ergriffen haben, um die Gemeinschaft ihrem wichtigsten Ziel entscheidend näherzubringen, nämlich der politischen Union. Gewiß sind die Schwierigkeiten auf diesem Weg noch gewaltig. Oft ist die Haltung mancher Partnerländer in der Gemeinschaft uns gegenüber widersprüchlich. Einerseits befürchtet man unsere nationalen Alleingänge, z. B. in östlicher Richtung, andererseits verweigert man sich größeren und schnelleren Fortschritten in Richtung auf diese politische Union, die doch der beste Schutz gegen solche Angst vor uns ist. Großbritannien und auch Frankreich, und an diese beiden denke ich als dritte Position, hätten in Maastricht für die politische Einigung mehr tun können, aber ich halte es für kurzsichtig und kleingläubig, diesen Partnerländern eine strukturelle Unionsunwilligkeit und Unfähigkeit in Europa nachzusagen und daraus abzuleiten, wir Deutschen müßten uns mit einer Festigung des atlantischen Bündnisses und in bezug auf Europa mit einer bloßen Freihandelszone begnügen. Wer so denkt, sieht den Wald vor lauter Bäume nicht.

Europa rückt, wenn auch unter täglichem Geächze und Gestöhne, Schritt für Schritt in eine Richtung vor, die es in seiner Geschichte bisher nie gegeben hat. Es ist auch ein Erfolg der Gemeinschaft, eine Folge ihrer Leistungsfähigkeit und Anziehungskraft, daß die Teilung Europas überwunden werden kann. An ihrem Ende wird Deutschland nicht östlicher. Vielmehr rückt die Europäische Gemeinschaft in die Mitte des Kontinents vor. Für uns Deutsche ist es ein Glücksfall der Geschichte, daß die Vereinigung unseres Landes diesmal in eine Epoche fällt, in der es ernst wird mit der Vereinigung Europas.

*Eine »new assertiveness« – neue Forschheit oder Patzigkeit – nannte die »New York Times« das veränderte Selbstgefühl und Auftreten der Deutschen. Und man hört auch Sorgen heraus, die Westpolitik könne vernachlässigt werden, weil so viele Aufgaben im Osten und im eigenen Land warten.*

Die Fragen an unsere Adresse schwanken. Einmal heißt es, wir seien von einer neuen Überheblichkeit ergriffen, am nächsten Tag hält man uns für evasiv. Uns wird eine Mischung von vorlautem Vorangehen und mangelnder Beteiligung vorgeworfen. Die Beispiele sind bekannt, zu vorlaut in Jugoslawien, zu kleinlaut am Golf. Im ganzen sehe ich hinter solchen Stimmen letzten Endes weniger Unterschiede in der Substanz als Kritik am Ton. Und wer wollte denn bestreiten, daß bei uns im Zuge und nach der Vereinigung nicht immer und überall gleich der richtige Ton gefunden worden ist? Die Empfindlichkeit uns gegenüber aufgrund der Geschichte und der relativen Größe mitten im Kontinent ist ein Faktum. Wir haben keinerlei Grund, uns zu verstecken. Unsere aufrechte und selbstbewußte Haltung wird um so überzeugender sein, je mehr sie sich des Mittels der behutsamen Empfehlung anstelle brüskierender Lautstärke bedient.

Wir werden dann auch besser mit den inhaltlich widersprüchlichen Kommentaren aus dem Ausland fertig, die immer wieder zeigen, wie schwer es für uns ist, es allen recht zu machen. Beispiele: In Frankreich hat jemand dieses unser Dilemma auf die herrliche Formel gebracht, die Franzosen erwarteten, daß die Deutschen eine Armee unterhielten, welche größer sei als die russische, aber kleiner als die französische. Oder unsere Forderung nach stärkerer Hilfe für den Osten. Sobald wir uns damit zu Wort melden, sagen uns westliche Partner, wir sollten die Hilfe doch selber leisten, wenn es uns damit so ernst sei. Tun wir es aber, dann melden sich dieselben Stimmen und sagen, das seien die befürchteten deutschen Alleingänge, um sich für die Zukunft Monopolmärkte zu sichern. Oft heißt es gleichzeitig, wir seien gänzlich mit unserer Wiedervereinigung beschäftigt und daher bei den wichtigsten internationalen Aufgaben zu passiv, bei unseren Aktivitäten in östlicher und südöstlicher Richtung aber zeige sich der neue deutsche Expansionismus.

*Man hört dies zum Teil auch von östlichen Partnern, von Tschechen und Polen ...*

Das ist richtig und hat seine besonderen Gründe.

*Da spielen die historischen Erinnerungen mit. Ein führender tschechischer Politiker fragte nach der Übernahme der Skoda-Werke durch VW: »Was ist deutsches Kapital? Hat es denselben geopolitischen Kontext wie 1930?« In Polen sind deutsche Investoren jetzt schon führend. Welche psychologischen Schwierigkeiten das macht, liegt nahe und es läßt sich ja auch verstehen.*

Solche Spannungen liegen in der Natur der Sache. Einerseits ist der Wunsch nach deutschen Investitionen zum Beispiel in Polen dringlich. Präsident Walesa hat dies bei seinem Staatsbesuch im Frühjahr 1992 wieder stark unterstrichen. Auf der anderen Seite gibt es Polen, die die Franzosen beschwören, mehr zu investieren, weil man in Polen nicht von einer deutschen wirtschaftlichen Invasion überschwemmt werden wolle. Die bisherige Wahrheit freilich ist die, daß weder die Deutschen noch die Franzosen nennenswert in Polen investiert haben. Und für das Wichtigste halte ich es, daß Frankreich und Deutschland ihre Polen-Politik bis in den Bereich der Investitionen hinein gemeinsam konzipieren.

Es geht überhaupt darum, zweiseitige Beziehungen zu dritt zu nutzen und zu fördern. Es gibt eine alte und bewährte französisch-polnische Zuneigung, eine nach dem Zweiten Weltkrieg entstandene deutsch-französische Freundschaft und eine neue ernsthafte deutsch-polnische Annäherung. Alle drei Völker sind darauf angewiesen, daß die europäische Einigung gelingt. Möglich wird dies nur, wenn wir bilaterale Beziehungen trilateral fruchtbar machen, wenn der eine mit Hilfe des anderen den Dritten besser verstehen lernt. Die drei Außenminister haben durch regelmäßige Beratungen diesen Weg schon beschritten. Eine polnisch-deutsch-französische Marschroute kann maßgeblich zur Stabilisierung in Europa beitragen.

*Das müßte eine konzertierte Politik sein. Dann könnte nicht ein Konzern alleine handeln.*

Interessenkonflikte sind dennoch nicht auszuschalten. Der Wettbewerb zwischen Renault und VW um einen wichtigen Teil der Skoda-Werke war hart. Die Tschechen, nicht zuletzt die Belegschaften an Ort und Stelle, haben die Entscheidung gefällt, es war eine wirtschaftlich, räumlich und menschlich organische Entscheidung. Zugleich will die Regierung in Prag verständlicherweise darauf achten, daß bei weiteren Projekten noch andere ausländische Investoren zum Zuge kommen.

Wir stehen also auf vielfache Weise vor widersprüchlichen Erwartungen. Das ist weder verwunderlich noch ein Unglück. Das Wichtigste ist, unsere eigenen Interessen konzeptionell zu erkennen und klar zu vertreten.

Es heißt immer, die Geographie sei das einzige, was sich in der Politik nicht verändere. Das ist eine Halbwahrheit. Wir sind alle miteinander in eine weit größere Interdependenz der politischen und sozialen, der technologischen und infrastrukturellen, der ökonomischen und ökologischen Lebensverhältnisse hineingewachsen. Das ist wichtiger als die geographische Lage, für sich allein betrachtet. Wir Deutschen in der Mitte dieses Kontinents mit unseren relativ vielen Menschen, einer starken

Wirtschaft, einer hochentwickelten tragfähigen Infrastruktur und zahlreichen Nachbarn sind auf offene Grenzen im materiellen, politischen und menschlichen Sinn vielleicht mehr als jeder andere angewiesen. Das ist elementares deutsches Interesse.

Die gelegentlich zu Rate gezogene Analogie zur Zeit zwischen den beiden Weltkriegen zeigt uns ebenfalls nicht nur die Übereinstimmung, sondern auch die Unterschiede. Gewiß, damals hatte sich Amerika wieder auf sich selber zurückgezogen. Auch heute gibt es solche Kräfte in den Vereinigten Staaten. Aber heute bleibt Amerika gar nichts anderes mehr übrig, als seine Weltmachtrolle unter neuer Definition weiter zu spielen. Es wird auch seinen Einfluß in Europa im eigenen Interesse behalten wollen, ohne deshalb zur Beteiligung an der Lösung jeder europäischen Schwierigkeit bereit zu sein.

Für das Inselreich Großbritannien wird die Kraft der geographischen Lage immer zu einer gewissen Distanz beitragen, aber es wird sich im eigenen Interesse nicht von der europäischen Integration abwenden und zugleich wird es mit seinem starken demokratischen Selbstbewußtsein und seiner politisch-diplomatischen Erfahrung dem Kontinent guttun. Freilich teilen die Briten mit den Franzosen eine Erbschaft aus den beiden europäischen Bürgerkriegen dieses Jahrhunderts, die darin besteht, zwar beide Kriege gewonnen, andererseits aber doch auch beide Kriege mit verloren zu haben. Die Deutschen sind dabei die Illusion einer Weltrolle endgültig losgeworden. In Paris und London dagegen muß man sich immer noch mit der schwierigen Ambition auseinandersetzen, die Erwartungen einer weltpolitischen Rolle der Nation einerseits nicht zu verraten, andererseits ihre Möglichkeiten aber bitte auch nicht zu überschätzen.

Mancher fühlt sich an die Zeit zwischen den Weltkriegen erinnert, wenn er die Zone der Labilität betrachtet, die heute wieder von der Ostsee bis zum Schwarzen Meer reicht. In der Osthälfte des Kontinents ist eine neue Freiheit zum Zuge gekommen, die zur allgemeinen Desintegration führt. Das fragwürdige Stichwort der Balkanisierung liegt wieder in der Luft. Aber Vorsicht ist mit dieser Vorstellung angebracht. Denn sie soll ja andeuten, daß ganz Europa gegeneinander aufgebracht wird, weil auf dem Balkan alles drunter und drüber geht. So ist es aber heute nicht mehr. In der Westhälfte des Kontinents sieht es radikal anders aus als früher. Hier ist die Freiheit zu einer Integration benutzt worden, zu einer noch zu schwachen, aber doch wachsenden Ordnungsmacht und auch Hilfsmacht, wie es sie in der Zwischenkriegszeit auch nicht ansatzweise gegeben hat.

*Wenn nicht wieder die deutsche als diese Kraft gesehen wird.*

Das bestreite ich ja gerade. Es gibt keine deutsche Ordnungsmacht, sondern, wenn überhaupt, dann eine westeuropäische und in ersten strukturellen Ansätzen eine gesamteuropäische.

Aber zurück zu den Krisen in der östlichen Hälfte des Kontinents. Mit dem alten Stichwort der Balkanisierung erfaßt man sie nicht. Alles hat seinen Preis. Gorbatschow sah die unausweichliche Notwendigkeit zur Reform. Dazu brauchte er die Mitarbeit der Menschen. Um sie zu erreichen, mußte er ihnen Freiheiten gewähren. Diese nützen sie nun für alles, nicht nur für die Reform.

Jemand hat das Stichwort vom Reformnationalismus

genannt. Das ist kein ganz klarer Begriff, aber gemeint ist damit vermutlich die ersehnte Auflösung eines alten Imperiums. Die Sowjetunion war das letzte große Kolonialreich der Welt, das sich von den anderen nur dadurch unterschied, daß seine »Kolonien« geographisch nicht auf anderen Kontinenten lagen, sondern unmittelbar an das Hauptreich angeschlossen und wirtschaftlich viel stärker damit verwoben waren.

Die Auflösung dieses Reiches ist Folge freiheitlicher Bedürfnisse und Regungen der Völker. Das ist absolut folgerichtig, wenn auch voller neuer Risiken und Schwierigkeiten. Der Freiheitsdrang desintegriert. Dennoch ist es ein striktes Vernunftsgebot, wenigstens ein Mindestmaß an wirtschaftlichem Zusammenhalt zu bewahren. Langfristig ist die Auflösung aber nicht notwendigerweise nur ein Zeichen zerstörerischer Destabilisierung, sondern vielleicht auch eine Quelle neuer schöpferischer Kräfte. Neue Zentren entstehen. Die jungen, begabten Leute müssen, wenn sie etwas werden wollen, nicht mehr wie früher alle nach Moskau gehen. Mehr Talente und Initiativen müssen sich regional und örtlich bilden und werden es mit der Zeit wohl auch tun.

Das Beispiel des Balkans und insbesondere Jugoslawiens zeigt, daß die Pariser Vorortverträge nach dem Ersten Weltkrieg kein dauerhaftes Modell für die Zukunft Südosteuropas sein konnten. Nun sind wir mitten in den Schwierigkeiten, die mit einer neuen Nationenbildung verbunden sind. Aber es ist eine andere Phase der Geschichte und keine Rückkehr in die zwanziger Jahre dieses Jahrhunderts.

*In der Debatte um eine künftige Rolle Deutschlands in der Welt gibt es wieder das Argument: Deutschland liegt nun einmal in der Mitte zwischen Ost und West – »unglücklich, aber nicht zu ändern«, heißt es bei Arnulf Baring –, das muß Folgen haben.*

Mal unglücklich, mal vielleicht aber auch glücklich. Es ist, wie schon gesagt, nicht die Geographie für sich allein, die den politischen Weg vorgibt. Noch in der ersten Hälfte dieses Jahrhunderts sahen die Staaten für ihre Aufgaben, wie auch für ihre Konflikte untereinander, keine anderen Lösungen als Balancefrieden, Allianzen und schließlich Kriege. Auch heute gibt es lauter Spannungen und schwer lösbare Probleme. Doch sind sie ihrer Natur nach innerhalb nationaler Grenzen nicht mehr zu bewältigen. Nukleare Sicherheit, Telekommunikation und Infrastruktur, Ökonomie und Ökologie – jeder Versuch zu innerstaatlichen nationalen Lösungen wird kollabieren. Zwar ist es nach wie vor schwer, solche Einsichten der Vernunft politisch durchzusetzen, aber es sind die Probleme selbst, die sich den Fortschritt erzwingen. Manchmal gelingt dies nur mit Hilfe kleinerer Katastrophen, über die man dann im nachhinein froh sein kann, weil sie es sind, die uns rechtzeitig die Augen öffnen und dadurch vor großen Katastrophen bewahren.

Es ist nun gerade unsere deutsche Mittellage, die uns nach jeder Himmelsrichtung gleichzeitig mit der Internationalität der Problemursachen und Lösungen vertraut macht. Deshalb können und müssen wir dazu beitragen, anachronistische Nationalismen zu überwinden. In unserer Mittellage sind wir hierzu stärker motiviert als andere Länder, die geographisch mehr an der Peripherie liegen. Irland ist von der Umweltbedrohung in Europa weniger betroffen als Sachsen oder Böhmen, um nur ein Beispiel zu nennen.

Aber immer, wenn wir wegen unserer geographischen

Lage, unserer Erfahrung, unserer Bevölkerungszahl, unserer Wirtschaftsmacht etwas Besonderes zur internationalen Einsicht und Aktion beizutragen haben, bleibt der Ton, in dem wir sprechen, von besonders großem Gewicht. Ich möchte diesen Punkt noch einmal unterstreichen. Wir haben keinen Grund für »affektierte Bescheidenheit« (Ernst Robert Curtius). Zugleich aber gilt es, jede Art des Auftrumpfens und jeden unnötigen Alleingang zu unterlassen.

*Das Gebot der Behutsamkeit, das hier zu beachten wäre, scheint die deutsche Außenpolitik aber seit der Vereinigung, gelinde gesagt, zu vernachlässigen. Man könnte da eine ganze Liste von großen und kleinen Beispielen zusammentragen. Wir nennen hier nur ein paar Punkte: die Forderung nach mehr deutschen Abgeordneten im Europäischen Parlament, die Initiative für Deutsch als dritte Arbeitssprache in Brüssel und Straßburg, die Diskussion um einen ständigen Sitz im Weltsicherheitsrat, die Forderung nach Frankfurt als Sitz der künftigen Europäischen Zentralbank, das Verhalten der Bundesbank bei ihrer Diskontpolitik, der zeitweilige Alleingang in der Jugoslawienpolitik, vielleicht inzwischen auch die Berlin-Entscheidung des Bundestages. Auch wenn jedes einzelne Beispiel nichts anderes als legitime Interessenvertretung ist: Ist es nicht zuviel auf einmal, ist diese Ballung von eher deutschen als europäischen Ansprüchen nicht genau das, was zu vermeiden wäre, nämlich ein Beweis mangelnder Sensibilität?*

Ich finde es lehrreich, alle diese Fälle zusammengefaßt zu nennen. Doch kann man sie in der Tat nur einzeln bewerten, denn sie sind von ganz unterschiedlichem Gewicht. Zunächst muß man den in allen Ländern gültigen Zusammenhang von Innen- und Außenpolitik vor Augen haben. Jeder demokratische Politiker geht mit einem innenpolitisch gebündelten Ranzen in außenpolitische Verhandlungen. Dort tritt er so höflich wie möglich auf. Hat er etwas Gutes erreicht, dann geht er nach Hause zu seiner Partei und seinem Parlament und erklärt sich zum Sieger. Solches Verhalten ist kein deutsches Monopol, aber natürlich auch keine Rechtfertigung für Brüskierung der Partner.

Aus Ihrer Liste finde ich die Themen aus dem Bereich der Vereinten Nationen, der Europäischen Gemeinschaft und des zukünftigen Schicksals Jugoslawiens zur Zeit besonders bedeutsam. Langfristig dürfte die Ostpolitik im ganzen das Wichtigste sein, doch hat sie bisher zu Ihrem Stichwort Behutsamkeit noch wenig Stoff geliefert.

*Diese Debatte steht noch bevor.*

Mag sein. Heute steht Jugoslawien im Vordergrund, an der Grenze der Unlösbarkeit. Ohne Zweifel bekennen sich alle westlichen Länder zum Prinzip der Selbstbestimmung. Alle wissen, daß der jugoslawische Staat sich einer künstlichen Zusammenführung von Völkern und Religionen verdankte, die sich untereinander noch nie anders als fremd fühlten. Dies geht auf die Gegensätze zwischen Ostrom und Westrom, zwischen dem Osmanischen und dem Habsburger Reich, zwischen mindestens drei verschiedenen Religionen zurück.

Die Deutschen waren mit dem alten Habsburger Teil durch engere Beziehungen verknüpft. Großbritannien und Frankreich als Hauptsignatarmächte der Pariser Vorortverträge waren stärker mit der Kunstschöpfung Jugoslawien als solcher verbunden.

Nach dem Zweiten Weltkrieg haben wir alle mehr oder weniger deutlich gewußt, daß es in dem Moment, in dem der Einfluß des kroatischen Kommunisten Tito zu Ende sein würde, zu neuen Spannungen kommen werde. Ebenso klar war und ist für den Westen, daß er nicht in der Lage sein würde, mit Gewalt friedensstiftend einzugreifen, wenn es innerhalb Jugoslawiens erst einmal zum Ausbruch von Gewalt gekommen ist.

Mit anderen Worten: Es gibt im Westen starke Wünsche und Forderungen gegenüber Jugoslawien, aber keine Möglichkeit, sie von außen mit Gewalt zu erzwingen.

Die öffentliche Meinung in Deutschland war beim Ausbruch des jugoslawischen Bürgerkrieges von vorneherein stark auf seiten der Slowenen und Kroaten. Daß sich die eigene Regierung der Stimmung in der Bevölkerung nicht verschlossen hat, ist demokratisch legitim und politisch natürlich. Die deutsche Politik sah sich damit im Konflikt mit ihren wichtigsten westlichen Partnern. In der Sache sind wir mit diesem Konflikt nicht leichtfertig umgegangen. Wir haben wohl gewußt, wie prekär es sich ausnimmt, im selben Jahrhundert zum dritten Mal eine andere Balkan- oder Jugoslawienpolitik anzustreben als etwa Frankreich und Großbritannien.

Im Wirklichkeit aber blieb keine Wahl zwischen zwei verschiedenen politischen Endzielen. Der Versuch, Jugoslawien zusammenzuhalten, war von vorneherein aussichtslos. Zwar gab es immer wieder Proben für den Ton, das Timing und die Fingerspitzen, aber nicht für die Richtung als solche.

Zu welcher Lösung es am Ende kommen wird, weiß zur Zeit niemand. Die Leiden der Menschen in den umkämpften Gebieten sind entsetzlich, die serbische Eroberungspolitik nun vor allem auch in Bosnien-Herzegowina bei einer über das ganze Land vermischten Minderheit verheerend, die Ohnmacht von außen deprimierend. Dennoch ist die Lage politisch gesprochen eben gerade nicht vergleichbar mit jener um das Jahr 1914. Auch wenn die europäische Welt rings um Jugoslawien und den Balkan herum in ihren Mitteln zur Hilfe und Stabilisierung begrenzt ist, so wird sie sich dadurch nicht von neuem prinzipiell entzweien und aufeinander losgehen.

*Gab es einen überzogenen Führungsanspruch der Deutschen in der Jugoslawienpolitik?*

Nein, jedenfalls nicht in der Sache. Gewiß ist es nicht ratsam für die Deutschen, ihren Partnern zu sagen: »Wenn Ihr unseren Alleingang verhindern wollt, den Ihr doch immer so fürchtet, dann folgt gefälligst und möglichst gleichzeitig unserem Beispiel!« Man muß immer wieder Lehren ziehen. Und man wird sie auch ziehen.

*Steht dagegen nicht der Einwand: Es war doch erfolgreich, wie wir es gemacht haben? Oder war der Erfolg nicht so groß?*

Das Wort »erfolgreich« hat in der ganzen Jugoslawienpolitik überhaupt keinen Platz. Die Europäische Gemeinschaft und die Vereinten Nationen tun, was sie können. Das Blutvergießen und die Zerstörung der Substanz sollen ein Ende finden, Minderheiten sollen geachtet und geschützt leben können, Grenzänderungen aber nicht mit Gewalt durchgesetzt werden. Doch wie dies alles zu erreichen ist und durch wen? Wir durchlaufen einen sehr heilsamen Unterricht, auch im Umgang innerhalb der westlichen Welt. Wir alle sind für die Freiheit. Francois Mitterrand sagt: »Il faut organiser la liberté.« Wie weit wir kommen und was die Menschen dazu sagen werden – wer darf es wagen, von Erfolg zu sprechen?

Das nächste sehr wichtige Beispiel sind die Vereinten Nationen, jetzt allgemein gesprochen und weit über ihre Bemühungen in Jugoslawien hinaus. Sie sind wieder stark hervorgetreten. Im Golfkrieg hat der Sicherheitsrat, wenn auch unter eindeutiger Führung der Vereinigten Staaten von Amerika, eine feste gemeinsame Position bezogen. Um so wichtiger sind die Gedanken, wie es mit dem Vereinten Nationen in Zukunft weitergehen soll. Wir Deutschen sollten uns an der Diskussion darüber ohne künstlich anerzogene Zurückhaltung beteiligen. Ich denke, daß wir Einsichten und Interessen auf diesem Gebiet haben. Sie zu verschweigen, wirkt nur unglaubwürdig und beruhigt die anderen nicht.

Deutschland gehört zu den Industrieländern, zu den reichen Staaten auf der Welt. Es hat infolgedessen seinen vollen Anteil an der Verantwortung für die Zukunft der unüberwundenen, ja noch wachsenden Kluft in den Lebenschancen zwischen Nord und Süd. Zugleich hat Deutschland aber in teilweise stärkerem Maß als andere Industrienationen einen Blick und Sinn für die Probleme und Chancen in der entwicklungspolitischen Zusammenarbeit.

Gerade weil Deutschland von imperialen Illusionen aus der ersten Hälfte des Jahrhunderts, eine weltpolitische Rolle nach damaligen Maximen spielen zu müssen, befreit ist und weil Deutschland dadurch auch weniger in den Vorstellungen befangen ist, daß Macht und Sicherheit und Frieden in erster Linie militärisch zu beschreiben seien, deswegen ist Deutschland auch freier und verantwortlicher dafür, den Hauptauftrag der Vereinten Nationen konzeptionell weiterzuentwickeln, nämlich den Begriff und Inhalt von Sicherheit.

Das wichtigste und mächtigste Organ der Vereinten Nationen ist der Sicherheitsrat. Worin besteht Sicherheit? Welche Gefahren drohen ihr? Die Antworten auf diese Fragen sind nicht in jeder Epoche dieselben. Entscheidend ist, heute zu begreifen, daß Sicherheit in unserer Zeit von Entwicklungen abhängt, die der Welt ganz ohne ihre Schuld bei der Begründung des Sicherheitsrats im Jahr 1944 zum größten Teil überhaupt noch nicht bekannt waren.

*Läge es also in der Logik Ihres Arguments, daß Europa im Sicherheitsrat als Europa vertreten wäre?*

In der Logik meines Arguments liegt es zunächst, daß Deutschland einen konzeptionellen Beitrag dazu leistet, worin Sicherheit heute besteht und wie sich daraus eine verantwortliche und wachsende Handlungsfähigkeit der Weltorganisation ableiten läßt.

Wenn wir uns nur auf den Standpunkt stellen, wir sind dick, kräftig, stark und gehören zu den größten Zahlern, also müssen wir hinein in den Sicherheitsrat, dann ändern wir damit konzeptionell noch gar nichts. Entscheidend ist, daß die Weltorganisation sich den Problemen zuwendet, von deren Lösung die Sicherheit der Völker insgesamt primär abhängt, also der unsäglichen Überbevölkerung, der wirtschaftlichen Not, den sozialen Ungleichgewichten, der Überentwicklung im reichen und der Unterentwicklung im armen Teil der Welt, dem verantwortungslosen Umgang mit den Ressourcen der Natur, der weltökologischen Bedrohung. Solange sich die Aufmerksamkeit nicht diesen Fragen zuwendet, sondern im militärischen Sicherheitsdenken verhaftet bleibt, solange ist ein Gerangel um die Sitze im Sicherheitsrat kein sinnvoller deutscher Beitrag. Man muß sich inhaltlich qualifizieren, wenn man eine mitverantwortliche Rolle in der Welt spielen will. Und das beginnt nicht mit der Anmeldung von Stimmrechten, sondern mit Beiträgen, die sich als Überzeugungen durchzusetzen wissen.

Länder wie Japan und Deutschland haben ihren mindestens regionalen Einfluß mit wirtschaftlichen Mitteln mehr auszudehnen gewußt als früher auf andere Weise. Gerade weil sie zu militärischen Aktionen weniger versucht sind, haben sie mehr Interessen an der Einsicht in die wachsende globale Interdependenz und damit in die veränderten Ursachen für Unsicherheit. Deshalb sollten sie ihre Erkenntnisse und ihre Kraft in neue Konzeptionen für die Weltorganisation einbringen. Je überzeugender sie dies tun, desto größer wird das Interesse an ihrer permanenten Mitwirkung in den Organen sein.

*Sie würden demnach, wenn wir Sie richtig verstehen, einen Prozeß des allmählichen politischen Hineinwachsens in die neue Rolle einer alsbaldigen Entscheidung über eine stärkere deutsche Beteiligung vorziehen?*

Hineinwachsen durch unüberhörbares Mitdenken, Mittun und Mitverantworten, so stark wie möglich in der Sache und so behutsam wie möglich in der Form.

*Das dritte Beispiel war Europa. Da gilt das ohnehin erst recht.*

Hier sind wir der Sache nach schon viel weiter, obwohl zur Zeit die Luft wieder voller Unkenrufe ist. Ich knüpfe noch einmal an vorhin Gesagtes an.

Wieder einmal hört man die Ansicht, letzten Endes bliebe ein zusammenwachsendes Europa eine Chimäre. Noch lange würden die Franzosen nicht so weit sein, ihr Verständnis von Nation mit europäischer Integration in Einklang zu bringen. Engländer würden sich ohnehin nie ernsthaft damit abfinden, sich ihrer nationalen Inselsouveränität in wichtigen Teilen zu begeben. Die weiter an der Peripherie liegenden, wirtschaftlich noch zurückliegenden Mitgliedsländer würden sich gegen eine weitere Öffnung der Gemeinschaft nach Osten zur Wehr setzen, weil sie befürchteten, daß dies zu Lasten der ihnen zugutekommenden Ausgleichszahlungen innerhalb der Zwölf ginge.

Die Schlußfolgerung aus solchen Analysen, soweit sie zu hören sind, lautet zwar nicht, die Gemeinschaft zu verlassen, aber die Erwartungen und Ziele zu reduzieren. Erweiterungen in Richtung auf EFTA-Länder, Polen, die CSFR, Ungarn und die baltischen Staaten seien über kurz oder lang unvermeidlich. Das Ergebnis sei dann ein gemeinsamer Markt mit möglichst wenig Handelsbarrieren, mehr nicht. Deshalb sollten wir Deutschen, so heißt es dann weiter, unsere Hoffnungen nicht primär auf Europa setzen, zumal wir ja ein vorrangiges, zumal sicherheitspolitisches Interesse an einer unverbrüchlichen Partnerschaft mit den Amerikanern hätten. Auf jeden Fall sollten wir uns hüten, wieder wie früher in eine Zwangslage zu geraten, und in einer Wahl zwischen Frankreich und Amerika oder zwischen der Europäischen und der Atlantischen Gemeinschaft unentschlossen hin- und herzuschwanken.

Solche Befürchtungen teile ich nicht. Mit unseren klaren Interessen stehen wir nicht vor einem Entweder-Oder, und die vorhandenen internationalen Möglichkeiten zwingen uns auch nicht dazu, exklusiv zwischen zwei Wegen zu wählen. Vielleicht kennen Sie den Ausspruch des Franzosen Alain Minc, der gesagt hat, die Politik der Franzosen sei die Monogamie, die der Deutschen aber die Polygamie.

*Das klingt amüsant. Wie stehen Sie zu der These?*

Man sollte es mit den Analogien aus dem Familienrecht in der internationalen Politik nicht übertreiben. Die Deutschen sind in ihrer Partnerschaftspolitik gegenüber Frankreich und Amerika gleichermaßen offen, ehrlich und unmittelbar auf ihre Interessen bezogen. Die Freundschaft mit Frankreich überwindet eine jahrhundertealte Gegnerschaft und mobilisiert Europa in Richtung auf die Union, beides vitale Interessen der Deutschen nicht zuletzt zur Befreiung aus ihrer früheren unseligen Mittellage. Auch Amerika ist auf die Haltbarkeit dieser Bindung in Europa angewiesen. Mit den USA verbindet uns eine Freundschaft, auf die wir vor allem aus sicherheitspolitischen Gründen unverändert angewiesen sind und die uns den Weg zur Zusammenarbeit in wichtigen weltbewegenden Fragen zu weisen hat. Zunächst zur Sicherheit: Nukleare Altlasten des früheren Ostblocks können bedrohlicher werden als das halbwegs berechenbare Gleichgewicht des Schreckens. Gegen vagabundierende Atomsprengköpfe gibt es schwerlich nationale Sicherheit oder interkontinentale Abschreckung. Die Risiken der Kernkraftwerke vom Typ Tschernobyl betreffen uns alle. Im nuklearen Zeitalter bedarf es eines bis in die Logistik hinein vollintegrierten, global wirksamen Systems. Nebeneinander operierende regionale Systeme tun es nicht.

*Wie verträgt sich dieses auf Amerika bezogene Führungsmodell mit dem von George Bush geprägten Begriff »partner in leadership«? War das lediglich eine Höflichkeitsfloskel oder gibt es für die Deutschen eine herausgehobene Form der Partnerschaft?*

Nicht herausgehoben, aber unersetzbar. Das Wort ist an das europäische Deutschland gerichtet. Es geht nicht im klassischen Sinn um bilaterale Beziehungen alter Art, siehe zum Beispiel die Außenhandelsfragen, über die ja gar nicht Deutschland, sondern die Gemeinschaft entscheidet. Aber für die euro-amerikanischen Beziehungen gibt es eine Partnerschaft zwischen den USA und Deutschland, in die wir Deutschen unser gewachsenes Gewicht, unsere bessere Kenntnis von Osteuropa und unsere zentrale geographische Lage einbringen. Ohne Deutschland wäre es für Amerika wesentlich schwieriger, vitale Interessen in Europa und darüber hinaus zu schützen und zu verfolgen. Es geht ihnen und uns gemeinsam darum, nach dem Ende des Kalten Krieges zu einem demokratischen Frieden in und mit dem ganzen Osten zu kommen. Die KSZE ist also neben der Nato ein Hauptfeld der Partnerschaft zwischen Amerika und uns.

*Was die künftige Entwicklung der Europäischen Gemeinschaft angeht, befinden wir uns in dem Dilemma zwischen Vertiefung und Erweiterung. Wie wollte man widersprechen, wenn Polen, Tschechen, Slowaken, Ungarn sich ganz selbstverständlich als Europäer begreifen und folglich – nicht nur aus ökonomischen Gründen – in die Gemeinschaft integriert werden wollen? Andererseits könnte man den Maastrichter Europa-Gipfel und einiges von der Begleitmusik dazu so verstehen, als wolle Westeu-*

*ropa sich zur Trutzburg ausbauen, mit hohen Mauern gegenüber den armen Verwandten im Osten.*

Mit der Gemeinschaft geht der Weg von einer bloßen vertraglichen Zusammenarbeit souveräner Nationalstaaten unumkehrbar in die Richtung von Union und Integration. Dieser Weg ist überaus steinig. Nichts ist leichter als die Schwierigkeiten zu schildern, die wir immer wieder zu überwinden haben. Entscheidend aber bleibt die langfristige historische Perspektive. Nach ihr bemessen ist schon das, was bisher erreicht worden ist, ohne Beispiel in der europäischen und wohl auch in der Weltgeschichte.

Sie sprechen von dem Dilemma zwischen Vertiefung und Erweiterung. Eben diese Fragestellung ist ein Ausdruck der bisher erreichten Erfolge. Es sind gerade die positiven Auswirkungen der Gemeinschaft, die ihre Anziehungskraft für neue Mitglieder begründen.

Wir haben nicht zwischen Vertiefung und Erweiterung zu wählen. Das eine befördert vielmehr das andere. Ich will versuchen, dies kurz zu erläutern. Die Vertiefung ist ein mühsames Geschäft. Kein Staat verzichtet gern freiwillig auf nationale Befugnisse zugunsten einer integrierten Institution, es sei denn, man ist durch höherrangige Gesichtspunkte und vor allem durch Gefahren dazu genötigt. Neben dem Wunsch, die alte Feindschaft zwischen Frankreich und Deutschland zu überwinden, war es der wachsende Druck im Ost-West-Verhältnis, der die Europäische Gemeinschaft zu ihren bisher erfolgten Schritten der Vertiefung geführt hat.

Die Vertiefung bringt Erfolge für die Menschen und Märkte. Sie wirkt wie ein Magnet auf andere Länder und führt zu Beitrittsgesuchen. Der immer wieder abflauende Wille zur weiteren Vertiefung wird durch unentrinnbar kommende oder vollzogene Schritte der Erweiterung neu belebt, ja erzwungen. Es ist die allmähliche Erweiterung von sechs auf zwölf Mitglieder, die uns zur einheitlichen europäischen Akte und zum Binnenmarkt geleitet hat.

Nun wird ein nächster Erweiterungsschritt praktisch um den ganzen EFTA-Raum und um einige ehemalige Comeconländer unausweichlich. Auch das wirkt sich wiederum als ein massiver Druck von außen in Richtung auf die nächsten Vertiefungsschritte innerhalb der schon bestehenden Gemeinschaft aus. Daher also Wirtschafts- und Währungsunion und politische Union. Natürlich sind wir noch weit davon entfernt, diese nächsten Schritte endgültig vollzogen zu haben. Was ich aber sage ist, daß wir sie gar nicht in Angriff genommen hätten, stünden wir nicht der notwendigen Erweiterung gegenüber.

Frankreich und die Kommission geben im allgemeinen der Vertiefung den Vorzug vor der Erweiterung. Großbritannien sucht die Erweiterung, um damit die unwillkommene Vertiefung zu umgehen. Ich aber glaube an den wechselseitigen Druck von Vertiefung auf Erweiterung und umgekehrt.

Die Europäische Gemeinschaft ist, wie schon ihr geistiger Vater Jean Monnet gesagt hat, nie als ein Selbstzweck der ursprünglichen sechs Mitglieder gedacht gewesen, sondern sie zielt auf das ganze Europa. Doch nur wenn die Handlungsfähigkeit der Gemeinschaftsorgane wächst, also die Vertiefung Fortschritte macht, wird das Ziel der Erweiterung erreichbar.

Diese Perspektive dürfen wir nicht aus dem Auge verlieren, wenn wir uns jetzt der schwierigen Aufgabe zuwenden, die Verträge von Maastricht in den zwölf Mitgliedsländern zu ratifizieren.

*Die Schwierigkeiten waren schon groß genug zwischen den beteiligten Regierungen der zwölf. Der Bau der Politischen Union fällt schwerer, die nationalen Vorbehalte sind enorm, nicht zuletzt in Großbritannien und Frankreich.*

Immer wenn es ernst werden soll mit der Integration, bäumen sich noch einmal nationale Identitätsbedürfnisse auf. Hinzu kommt etwas anderes. Die großen politischen Lager haben sich in ihren Ländern auf die Mitte zubewegt. Die Ränder, parteipolitisch gesprochen, sind von ihnen freigegeben. Dort sammeln sich nun gern nationalistische Apostel: Gegen die Freizügigkeit der Fremden, gegen zuviel Lastenausgleich der Reichen für die ärmeren Regionen, gegen die Beeinflussung der bodenständigen Gebräuche durch trockene europäische Bürokratien und so weiter. Wie gesagt, der Weg ist noch steinig, zumal der gefühlsmäßige. Dennoch geht es vorwärts, auch mit Maastricht, auch um der wechselseitigen Befürchtungen willen. Jedes westliche Partnerland, welches Sorge vor deutscher Größe oder deutschen Alleingängen empfindet, kann seine Ängste am besten dadurch beruhigen, daß es den Weg zur politischen Union fördert.

Bei dieser Union geht es einerseits um die Funktionen und Zusammensetzung der Organe, zum anderen um die Verständigung der Mitgliedsländer auf eine gemeinsame Politik.

Es muß zu klareren, demokratisch kontrollierten Befugnissen für die europäische Gesetzgebung und Exekutive kommen. Noch ist das europäische Parlament unzureichend ausgestattet, aber erste wichtige Schritte sind in Maastricht schon getan. Der Ministerrat kann nicht auf die Dauer die parlamentarisch unkontrollierte Alleinzuständigkeit für die Regierung und die Gesetze behalten. Er muß sich im Lauf der Zeit zu einer Art Bundesrat mit besonders stark ausgeprägten Kompetenzen weiterentwickeln, die Kommission dafür schrittweise in die Aufgabe einer kontrollierten Regierung hineinwachsen.

Die inhaltliche Einigung über die Substanz der Politik unter den Mitgliedsländern wird Fortschritte machen, je mehr sich die Lebensbedingungen in der Gemeinschaft einander annähern. Mit anderen Worten, es ist der Vollzug einer Wirtschafts- und Währungsunion, der die Verständigung über eine gemeinsame Außen- und Sicherheitspolitik maßgeblich befördern wird.

*Manchmal hat man das Gefühl, wir erleben im Moment den Anfang einer nachgeholten Europa-Debatte. Sie hat in Deutschland nicht in dem Maße stattgefunden wie in den westeuropäischen Nachbarstaaten. Sie wurde aber vielleicht auch erst möglich nach diesem Prozeß, der zu Maastricht geführt hat. Für uns war Europa derart verinnerlicht und in einem gewissen Sinne selbstverständlich, so daß wir in Deutschland, wie es scheint, erst jetzt mit einem ernsthaften Diskurs über Europa beginnen.*

Die europäische Entwicklung hat ihren Ursprung in tiefen historischen und moralischen Einsichten. Noch einmal nenne ich mit höchster Achtung den Namen Jean Monnet. In der alten Bundesrepublik stieß sie unter Führung von Konrad Adenauer auf das vitale Interesse, in dieser Weise wieder in den Kreis der angesehenen Länder aufgenommen zu werden. Das war eine deutsche Besonderheit, die bei uns in der Anfangsphase trotz der heftigen Debatte über das Verhältnis von Deutschlandpolitik und Europapolitik zu einer wahren Begeisterung führte.

Inzwischen ist Deutschland wieder vereinigt. Wir sind

ein Nationalstaat ohne offen gebliebene nationale Wünsche. Nun hat die Idee der europäischen Integration für uns nicht mehr das Ziel, alte Diskriminierungen gegenüber anderen Nationalstaaten abzubauen. Auch ist der Gedanke, mit Frankreich nicht mehr in alte Feindschaften zurückzuverfallen, so selbstverständlich geworden, daß er den jüngeren Menschen gar nicht mehr besonders in den Sinn kommt – welches Glück! Die ursprünglichen moralisch-historischen Gründe für die Europapolitik haben nun eine neue realpolitische, auf die deutschen Interessen bezogene Qualität. Das ist normal, gesund und solide. Ebenso normal ist die Begleiterscheinung bei der Bevölkerung, nämlich eine weit nüchternere Einstellung gegenüber den nächsten Schritten zur europäischen Integration. Es kann nicht mehr darum gehen, Begeisterung zu mobilisieren, wie beim ersten Anlauf, sondern Einsichten zu vollziehen.

*Es gibt neue Ängste, vor allem angesichts der Armut und Not im Osten Europas. Die europäische Zukunft verheißt kein Schlaraffenland, sondern enthält unbekannte Gefahren für die Wohlstandsinsel Deutschland.*

So wird es oft gesehen. Doch gilt es zweierlei dabei nicht zu vergessen. Zum einen gäbe es den Wohlstand in Deutschland gar nicht ohne die Europäische Gemeinschaft mit den offenen Märkten für unsere Waren. Der Begriff Wohlstandsinsel Deutschland ist irreführend. Man müßte von einem Wohlstandsgefälle zwischen West- und Osteuropa sprechen.

Zum anderen gibt es vorzugsweise in Westdeutschland eine verbreitete Verunsicherung, ob die Vereinigung es uns erlauben wird, den Status quo des Wohlstandes zu halten. Das ist aber etwas anderes als eine Anti-Europastimmung.

Gewiß hört man die bange Frage: Was wird aus unserer harten D-Mark in einem europäischen Währungsverbund? Solche Fragen in Deutschland muß man im Vergleich zu den Stimmungen in den europäischen Partnerländern beinahe dankbar begrüßen. Denn unsere Nachbarn haben im Rahmen eines Ecu vor der Kraft der deutschen Währung noch mehr Sorge als wir vor dem Ecu. Die in Maastricht vereinbarten Kriterien für die Währungsunion sind ungemein streng. Gegenwärtig erfüllen nicht einmal wir Deutschen diese Eintrittskriterien. Die Wirtschafts- und Währungsunion wird nach Prinzipien funktionieren, die ohnehin für uns selbst maßgeblich bleiben müssen: Unabhängigkeit der Zentralbank, Geldwertstabilität, Haushaltsdisziplin. Noch einmal: Es gibt keinen deutschen Wohlstand ohne die Gemeinschaft. Allen kleineren oder mittleren Unwettern auf dem weiteren europäischen Wege zum Trotz würden wir die Gründe für Sorgen um unseren künftigen Wohlstand durch eine Anti-Europastimmung nur steigern statt mindern.

*International gibt es eine Haltung bei der Analyse der deutschen Vereinigungsprobleme, die auf den Punkt hinausläuft: Ihr Deutschen schafft das schon. Wenn ihr das nicht schafft, wer sonst? Sehen Sie darin eine Entwicklung, daß die Deutschen zwar glaubwürdig versichern, die Fülle ihrer Aufgaben – Aufbau Ostdeutschlands, Hilfe für Osteuropa, Hilfe für die GUS-Mitglieder, Kosten der Integration – werde für sie allein zuviel, daß aber der Westen dies gar nicht glauben will? Daß die Partner sagen: Ihr redet Euch jetzt schwach und klein, um uns damit einzube-*

*ziehen? Könnte es also sein, daß der Riese heute unglaubwürdiger wirkt, wenn er von seinen Schwächen spricht?*

Das glaube ich nicht. Die Belastungen, die wir zu tragen haben, liegen für jedermann erkennbar offen zutage. Die Stimmungen im Ausland uns gegenüber schwanken. Nachdem man uns zunächst für stärker hielt, als wir es sind, ist es jetzt beinahe umgekehrt. Das wird sich einpendeln.

Man wirft uns als Folge unserer Belastungen immer wieder einmal Alleingänge vor, die man uns verübelt. Dazu gehört die Zinspolitik der Bundesbank. Unser hoher Zinssatz wirkt sich auf Nachbarländer in Europa aus. Aus konjunkturpolitischen Gründen wäre allseits eine Zinssenkung willkommen. Daß nun unser Zentralbankrat seine Geldpolitik primär nach den deutschen Gegebenheiten richtet, also den Kosten der Vereinigung, den Folgen des Haushaltsdefizits, der Inflationsgefahr, das ist wahr, wie wohl es uns natürlich von der Haltung anderer Nationen mit ihrer Geldpolitik, zumal der Amerikaner, gewiß nicht unterscheidet. Insoweit tragen also andere Länder mittelbar an unseren Lasten mit.

Andererseits profitieren sie auch von unseren Impulsen. In den Jahren 1990 und 1991 hat keineswegs nur die westdeutsche Wirtschaft von dem Nachfrageboom in den neuen Bundesländern profitiert, sondern auch unseren westlichen Nachbarn war dieser Konjunkturschub für ihre Exporteure sehr willkommen. In Frankreich, um ein Beispiel zu nennen, ist über ein Viertel des Wirtschaftswachstums im vergangenen Jahr auf die gestiegene Nachfrage aus Deutschland zurückzuführen.

Unabhängig von diesen indirekten Auswirkungen aber bliebe es aberwitzig anzunehmen, daß wir die Aufgaben, die sich insgesamt im Osten stellen, unsererseits im Alleingang lösen könnten. Die Gefahr ist nicht von der Hand zu weisen, daß es uns nicht gelingt, unsere Partner in der Europäischen Gemeinschaft und im Kreis der G 7-Länder für die gemeinsamen Hilfen in Richtung auf den ganzen Osten ausreichend zu mobilisieren. Als Folge davon könnten sich bei uns Stimmen melden, welche sagen, wir sollten die Oder oder den Bug nicht als verbindende Übergänge verstehen, sondern aus ihnen im Gegenteil aufs neue schwer überwindliche Grenzen machen, um uns gegen die Notstände jenseits dieser Grenzen zu schützen. Dies wäre eine wirkliche Gefahr. Ihr entgegenzutreten sehe ich als eine große, schwere und unentrinnbare Aufgabe der Deutschen an.

*Die Deutschen und die Europäer sind gefragt, wo dieses Europa enden soll? Bis wohin reicht politisch das Konzept Europas? Von Wladiwostok bis Vancouver – wäre das eine reale europäische Utopie?*

Was die Europäische Gemeinschaft anbetrifft, so werden nahezu alle EFTA-Mitglieder und in der mittleren Frist auch Polen, Tschechoslowakei, Ungarn und wohl auch die baltischen Staaten zu vollen Partnerländern werden, wenn auch mit unterschiedlichen, zum Teil sehr langen Übergangsregelungen.

*Die Schwierigkeit ist Rußland.*

Daß Rußland ein Mitglied der Gemeinschaft werden soll, wird soweit ich sehe, weder im Westen noch im Osten Europas angestrebt. Es heißt ja aus gutem Grunde auch nicht von Lissabon bis Wladiwostok. Andererseits wird man mit Rußland zu einer besonderen Form der Kooperation kommen müssen.

Die Auflösung des alten sowjetischen Imperiums vollzieht sich zur Zeit in einem sowohl befreienden als auch ziemlich chaotischen Sinn. Unser Einfluß von außen darauf, daß in der Gemeinschaft Unabhängiger Staaten ein großes Maß an Zusammenarbeit bestehen bleibt oder wiederhergestellt wird, ist nicht groß. Für den notwendigen inneren, wirtschaftlichen, sozialen und infrastrukturellen Reformprozeß fehlt es an den allermeisten Voraussetzungen zu einem raschen Erfolg. Auf einzelnes kann ich hier jetzt nicht eingehen.

Die wichtigste Republik bleibt natürlich Rußland. Es kann den Weg der Reform nicht schaffen und in das Weltsystem nicht hineinwachsen, ohne sich irgendwo abzustützen. Mit den Amerikanern wird es bestimmte Sonderbeziehungen insbesondere auch in der Sicherheitspolitik behalten oder suchen. In dem allgemeinen Bereich der politischen und wirtschaftlichen Zusammenarbeit wird Rußland wohl aber in erster Linie den Anschluß in Richtung auf Europa im Auge haben. Das ist seine wichtigste Option. Und unser entscheidendes Interesse ist, daß Rußland sich allmählich stabilisiert.

Es ist nun einmal eine Welt voller gewaltiger neuer Anfänge, Chancen und Risiken. Und wir Deutschen sind mittendrin. Historische Erinnerungen und Sorgen vor neuen Unberechenbarkeiten der Deutschen sind verständlich, aber es sind die Verhältnisse selbst, die uns berechenbar machen werden. Wir haben gar keine ernsthaften Alternativen. Und gewisse Unarten müssen wir uns abschleifen. Das wird die unbegründeten Ängste zu verringern helfen, die die anderen haben.

*Sie haben aber Verdauungsprobleme dabei, wie Herr Genscher, der weitgereiste »Metternich aus Halle«, 18 Jahre lang Bonner Außenminister, zu berichten weiß.*

Je nun. So ist es nun einmal. Wir haben zwar ein größeres Gewicht als früher. Doch haben wir auch ein klar ausgeprägtes nationales politisches Interesse daran, die Grenzen und den Horizont nationaler Politik zu überwinden. Darin sind wir manchem unserer Partner durch Umstände, die wir uns gar nicht als unser Verdienst anrechnen können, voraus.

*Ihr Verhältnis zu Europa ist vermutlich geprägt durch Ihre Lebensgeschichte, die bestimmt europäischer ist als die vieler von uns in Deutschland.*

Im Verhältnis zu den Erfahrungen in meiner eigenen Generation ist zweierlei zu sagen. Einerseits teile ich natürlich mit ihr die Erinnerung an die schreckliche Last der nationalsozialistischen Exzesse, der Feindschaft und der Zerstörungen durch Krieg und schweres Unrecht. Mit anderen Worten: In meiner Altersgruppe vergißt man nicht, wie unüberschätzbar groß der Wert der europäischen Annäherung und Zusammenarbeit und insbesondere der deutsch-französischen Freundschaft ist. Und ganz tief ist auch in mir das Verlangen verankert, mit unseren östlichen Nachbarn nicht nur ökonomisch und politisch, sondern auch menschlich einander näher zu kommen. Junge Leute in Deutschland wollen dies auch, aber nicht, wie wir Älteren, aus eigener erregender existentieller Erfahrung. Die Jungen sind da nüchterner. Und die Symbiose im Westen empfinden sie als etwas ziemlich Selbstverständliches.

In einem anderen Punkt unterscheiden mich meine Erfahrungen von meinen eigenen Altersgenossen. Ich bin in meiner Jugend fast mehr im europäischen Ausland gewesen als in Deutschland.

*Hatten Sie damals die Erfahrung von Vorbehalten gegen Sie als Deutschen gemacht?*

Erlauben Sie mir ein Beispiel. Nach meinem Abitur habe ich 1937 ein halbes Jahr in England zugebracht. Dabei wohnte ich zwei Monate lang in der Familie eines Landarztes in Wiltshire. Die Familien laden sich dort während der Sommerferien untereinander fast täglich ein. Und nun wurde meiner Gastfamilie, die von Hause aus gar nicht besonders deutschfreundlich war, sinngemäß bedeutet: »Ihr sollt alle zu uns kommen, aber Euren deutschen Gast dürft Ihr nicht mitbringen«. Dazu sagten dann meine Gasteltern: »Dann kommen wir alle nicht, denn was auch immer an Bösem in Deutschland vor sich geht, dieser junge Deutsche gehört zu uns, solange er unser Gast ist.« Mich hat diese Haltung ebenso beeindruckt, wie mich die ganze Erfahrung bedrückt hat.

Von 1933 bis 1936 bin ich in Bern in der Schweiz zur Schule gegangen. Dabei habe ich immer wieder die Solidarität meiner Klassenkameraden mir gegenüber erlebt, und zwar gerade auch gegenüber manchen Lehrern im Unterricht.

*Hatten die Vorbehalte dieser Lehrer gegenüber Ihnen als Deutschen mit der politischen Entwicklung in Deutschland zu tun?*

Ja natürlich. Wer damals als Deutscher im europäischen Ausland war, stieß überall und unaufhörlich auf die wachsende Sorge und tiefe Abneigung gegen das nationalsozialistische Deutschland.

Das Winterhalbjahr 1937/38 verbrachte ich als Student in Grenoble in Frankreich. Ich war unter vielen ausländischen Studenten aus verschiedenen europäischen Ländern der einzige Deutsche. Vorbehalte gegen die Deutschen gab es auch dort, wenn vielleicht auch etwas geringer als in England. Wer als junger Mensch solche Eindrücke empfangen hat, wer erlebt hat, daß seine eigene Heimat im ganzen Ausland mit Mißtrauen und allmählich auch mit Haß betrachtet wurde, der vergißt das nicht. Er empfindet die heutigen Schwierigkeiten des europäischen Zusammenwachsens als gering und geradezu dankbar im Vergleich zu der bösen Vergangenheit.

Und deshalb ist es für mich auch ein besonderes Erlebnis, wenn ich in diesem Herbst zur Entgegennahme einer Ehrenpromotion an die französische Universität Lyon gehe, also in die Stadt, in der ich damals während meiner Studienzeit in Grenoble für die deutsche Wehrmacht gemustert worden bin.

*Sie sind in Frankreich gemustert worden?*

Zur Ableistung des Militärdienstes in Deutschland war wie üblich eine Musterung vorgeschrieben. Sie bestand darin, daß ein Arzt zu bescheinigen hatte, ob man tauglich ist oder nicht. Deshalb wurde ich vom deutschen Konsulat in Lyon zu einem französischen Arzt geschickt, der mich gemustert und für tauglich befunden hat, in das Militär einzutreten und in den Krieg zu ziehen. Sie haben schon recht. Meine Jugenderfahrungen sind prägend, aber auf ihre Weise untypisch.

*Die Geschichte hat trotzdem ihre schönen Pointen.*

Persönliche Erfahrungen wirken immer stärker als rationale Überzeugungen. Und so gibt es Unterschiede innerhalb und zwischen den Generationen. In Ihrer Altersgruppe im Westen und bei den noch Jüngeren gibt es bekanntlich manche Schwierigkeiten mit der Vereinigung, wegen toskanischer Neigungen, wie es gelegentlich genannt wurde.

*Eine eher umfassende – um nicht zu sagen: pauschale – Feststellung, finden Sie nicht?*

Sie haben recht und ich korrigiere mich gern. Es ist ja nur gut, wenn jemand in den letzten zwanzig Jahren vor der Vereinigung die Kontakte dorthin gepflegt hat, wo die Grenzen offen waren, also eher in die Toskana als an die Mecklenburgischen Seen oder ins Erzgebirge. Heute sind aber die Grenzen in Deutschland weggefallen und in den Osten Europas offen. Und nun wollen wir diese ehemals existierenden Grenzen in unserem Weltbild allmählich überwinden.

*Jedenfalls sind die Nachkriegsgenerationen in zunehmendem Maße grenzenlos aufgewachsen.*

Nur eben nicht nach Osten! Aber daß es nach Westen möglich war, ist wunderbar. Wer die Erlebnisse meiner

Generation hinter sich hat, kann sich doch nur darüber freuen, daß die Jüngeren nicht wieder preisgeben wollen, was sie an grenzüberschreitenden Freundschaften und Lebensprägungen empfangen haben.

Diese persönlichen Erfahrungen gehören zum Wertvollsten, das es zu sichern und zu vertiefen gilt. Das ist es, was ich in unserem ganzen Gespräch immer wieder politisch zu begründen versuche: Die Überwindung der engen nationalen Begrenzungen, nicht nur wissenschaftlich und technisch, wirtschaftlich und sozial, sondern für den ganzen Bereich von den großen Entwicklungen der Natur bis zu den ganz menschlichen Wünschen und Beziehungen. Dazwischen steht die Politik und muß, so gut sie es kann, beides vernünftig fördern.

# Der Parteienstaat
# oder
# Die Zukunft der
# liberalen Demokratie

*Die Verfassungskommission hat ihre Arbeit aufgenommen, aber es sieht nicht so aus, als wolle sie damit weit vorne anfangen oder den Zustand der westdeutschen Demokratie wirklich überprüfen. Die Parteien haben diese Kommission besetzt. Der Verfassungsrat bleibt auf einen Parteienrat reduziert. Wäre es aus Ihrer Sicht wünschenswert, den Parteienstaat selbst nach seiner Funktionsfähigkeit zu befragen, eben auch im Rahmen dieser Verfassungsdebatte?*

Wie ist denn diese Verfassungskommission zustandegekommen? Wir haben einen Einigungsvertrag, in dem vereinbart ist, daß die Verfassung an die Vollendung der Einheit angepaßt werden soll. Inwieweit damit eine Überprüfung zu verbinden sei, blieb offen. Der Einigungsvertrag enthält Empfehlungen, was zum Auftrag der Kommission gehört. Die zu erwartenden Ergebnisse kann man im Blick auf die Zusammensetzung des Gremiums weitgehend erraten. Mitglieder sind ausschließlich Persönlichkeiten, die selbst zu einer der beiden verfassungsgebenden Körperschaften gehören, Bundestag und Bundesrat. Die vom Bundesrat entsandten Mitglieder entsprechen der Zahl und Stärke der Bundesländer. Vom Bundestag sind ganz überwiegend westliche Mitglieder dabei. Anregungen, die aus dem Osten kommen, haben von vorneherein keine große Chance.

Zunächst geht es um die Themen, die ohnehin gerade klärungsbedürftig sind. Die bekanntesten sind Asylrecht,

Europarecht, Blauhelme. Sodann wird über die Ergänzung der Staatsziele beraten. Auch über die europäische Entwicklung hinaus wird der Föderalismus eine wichtige Rolle spielen, die Finanzverfassung, und schließlich ein Bündel von Themen ganz unterschiedlichen Gewichts, die Stellung der Abgeordneten, die Amtszeit des Bundespräsidenten, die private Flugsicherung, die schon vorab eine einverständliche Regelung findet.

Man wird darüber diskutieren, ob es erwünscht ist, die plebiszitären Elemente der Verfassung zu verstärken. Dann wird auch über ein Selbstauflösungsrecht des Bundestages gesprochen und – obwohl dies nicht in den Text der Verfassung gehören würde – über eine Konzentration der Wahltermine. Das alles sind interessante Themen.

Nun ist aber pauschal gesprochen eine Marschroute der großen politischen Lager erkennbar. Aufs Ganze gesehen wünscht man sich links eine Reihe von Veränderungen, während sich die Rechte eher auf Abwehr einstellt. Wer etwas durchsetzen will, hat es schwerer. Es kann zu keiner Änderung der Verfassung kommen, wenn sich die Lager nicht einigen. Verfassungsänderungen sind nun einmal mit großen Schwierigkeiten verbunden, das hat seine guten Gründe.

Es ist gar kein Wunder, aber nach meiner Überzeugung ein starker Mangel, daß bisher keinerlei Tendenzen erkennbar sind, über die Institutionen unserer Verfassung, ihre Gewaltenteilung und ihre Zusammenarbeit zu debattieren.

*Sie meinen das Verhältnis zwischen den staatlichen Verfassungsorganen?*

Das Verhältnis zwischen ihnen und solchen Machtzentren, die gar keine Verfassungsorgane sind. Die Verfassung spricht ja nicht nur von den Werten und Zielen in unserem Staat, von den Rechten und – allerdings kaum – von den Pflichten der Bürger, sondern sie schreibt auch vor, welche staatlichen Organe es gibt und welche Verpflichtungen und Einflüsse sie haben.

In der alten Bundesrepublik haben wir uns 1949 fünf Verfassungsorgane gegeben. Dies geschah damals richtigerweise im Lichte der Erfahrungen und Lehren aus der ersten deutschen Republik. Wie haben sich nun diese Verfassungsorgane in über vierzig Jahren bewährt? Wie hat sich ihr Einfluß entwickelt? Von manchen Beobachtungen will ich dazu nur eine, die meines Erachtens bei weitem wichtigste wiedergeben: Unsere fünf Verfassungsorgane haben sich im großen und ganzen gut bewährt, sind aber samt und sonders, wenn auch unterschiedlich stark, unter den ständig gewachsenen Einfluß eines sechsten Zentrums geraten, welches gar nicht zu den Verfassungsorganen zählt, aber praktisch über ihnen steht, nämlich der Zentralen der politischen Parteien.

Es gibt oder ich kenne jedenfalls keine Alternative zu politischen Parteien in demokratischen Massengesellschaften. Wir brauchen sie dringend, und daß sie starken politischen Einfluß haben, ist selbstverständlich. Um so wichtiger ist es, klarer zu wissen, welche Rechte und Pflichten sie haben und wie sich ihr Ansehen entwickelt.

Was für eine Vorstellung die Mütter und Väter unserer Verfassung am Ende der vierziger Jahre vom Einfluß der Parteien hatten, weiß ich nicht. Das, was sie darüber im Artikel 21 des Grundgesetzes formuliert haben, ist jedenfalls ein geradezu gigantisch eindrucksvolles Beispiel von Understatement. Wenn man dort den Kernsatz liest, »die Parteien wirken bei der politischen Willensbildung des

Volkes mit«, und dies mit der tatsächlich eingetretenen Wirklichkeit unseres Verfassungslebens vergleicht, dann kommen dem einen die Tränen der Rührung, und bei anderen schwellen die Zornesadern. Und das bekommt auf die Dauer unserer Demokratie gerade deshalb nicht gut, weil wir die Parteien brauchen. Die Parteien haben sich zu einem ungeschriebenen sechsten Verfassungsorgan entwickelt, das auf die anderen fünf einen immer weitergehenden, zum Teil völlig beherrschenden Einfluß entwickelt hat.

Ich rede noch nicht darüber, welches Ausmaß ihres Einflusses notwendig und wünschenswert ist und wie die Gesellschaft auf sie reagiert. Was ich hier nur meine ist dies: Die fünf Organe, von denen das Grundgesetz spricht, müssen sich nach klaren Verfassungsrichtlinien orientieren. Damit werden Ausmaß und Kontrolle ihrer Machtbefugnisse bestimmt. Vergleichbare Vorschriften gibt es aber für die mächtigste Institution in unserem staatlich-gesellschaftlichen Leben, nämlich für die Parteien, nicht.

Und eines möchte ich noch hinzufügen, ehe dann von den Parteien die Rede ist: Zunächst sind natürlich die Verfassungsorgane selbst gehalten, ihre Rechte und Pflichten, auch ihre Macht, verfassungsgemäß voll wahrzunehmen und sie nicht zugunsten der Parteien verkümmern zu lassen.

*Das Grundgesetz behandelt die Parteien nur lapidar, dafür regelt das Parteiengesetz ihre Funktion sehr detailliert. Ist dieses Gesetz eine Wurzel des Problems oder zumindest ein Ausdruck davon?*

Wurzel wohl kaum, aber Ausdruck. Mit dem Parteiengesetz verfügen die Parteien auf dem Umweg über den Gesetzgeber über sich selbst. Von ihren Rechten ist ziemlich eindrucksvoll die Rede, wenn auch der tatsächliche Umfang ihres Einflusses bei weitem nicht erfaßt ist. Die festgelegten Pflichten sind dürftig genug und beziehen sich im wesentlichen auf organisatorische Verfahrensfragen.

*Darüber kann bei dieser Zusammensetzung der Kommission aber nicht ernsthaft debattiert werden, jedenfalls nicht in diesem Rahmen.*

Wieso ist dies eine Frage des Könnens? Vielleicht des Wollens oder, um Ihnen entgegenzukommen, der Erkenntnis des Problems. Nach meiner Überzeugung liegt es nicht nur im Interesse des Staates und der Verfassung, sondern vor allem auch der Parteien selbst, dieses Thema in die Diskussionen ernsthaft und hörbar einzubeziehen. Es gehört zentral zu unserer Verfassungswirklichkeit. Alles redet immerfort vom Parteienstaat, ganz mit Recht, wie ich finde. Und da soll über das Grundgesetz dieses Staates gesprochen werden, aber nicht über die Parteien?

Ob und gegebenenfalls an welcher Stelle Änderungen für den Verfassungstext vorzuschlagen wären, ist nicht die entscheidende Frage. Es ist nicht ausgemacht, ob der Artikel 21 selbst der zentrale oder der einzige Ansatzpunkt dafür wäre. In der wissenschaftlichen Literatur gibt es zum Beispiel scharfe Kritiker unseres Parteienstaates, die dafür plädieren, man solle den Artikel 21 ersatzlos streichen.

*Welche realen Folgen könnte das haben?*

Das ist nach meiner Überzeugung keine Lösung des Problems. Es geht auch nicht darum den Parteien zu bestreiten, daß sie, wie es im Parteiengesetz heißt, »ein verfassungsrechtlich notwendiger Bestandteil der freiheitlichen demokratischen Grundordnung« sind. Aber die Verfassung hat sich nun einmal mit einfach umwerfender Zurückhaltung darauf beschränkt, ein Tor zu öffnen, ohne zu sagen, wohin man kommt, wenn man da durchgeht. Sind die Parteien nur das Verbindungsglied zwischen dem Willen des Volkes und den staatlichen Organen? Oder sind sie nicht längst Teil, ja Hauptteil der – wenn auch nicht verfassungsrechtlich vorgesehenen – Staatlichkeit? Welche Vorkehrungen haben wir getroffen oder unterlassen, um das überparteiliche Element, den Staat, nachhaltig zu stärken? Wie sieht das Verhältnis zwischen dem Willen des Volkes und dem der Parteien aus? Wir können solche Fragen doch nicht übergehen, wenn wir für uns in Anspruch nehmen wollen, daß wir die Verfassung diskutieren. Gerade weil auch ich das Grundgesetz im ganzen für hervorragend halte, empfinde ich dieses Diskussionsthema als so wichtig.

*Hätten Sie insgesamt einen anderen Weg vorgeschlagen, also zum Beispiel die Einsetzung eines Verfassungsrats? An der Öffentlichkeit, die ja auch kritische Instanz sein kann, geht diese Verfassungsdiskussion bisher recht spurlos vorüber.*

Um Geheimverhandlungen handelt es sich selbstverständlich nicht. Die Verhandlungen sind inzwischen öffentlich. Doch gibt es bisher ein für meine Bedürfnisse entschieden zu geringes Interesse in der breiteren Öffentlichkeit. Es gibt bestimmte Themen, die wie erratische Blöcke herausragen, vor allem Asyl und im geringeren Maß die Blauhelme. Die Staatszieldebatte – Umwelt, Arbeit, Wohnung – ist in ihren Ergebnissen ziemlich absehbar und zündet daher in der breiten Öffentlichkeit relativ wenig, im Osten gewiß mehr als im Westen. Sodann findet das Thema Föderalismus starke Beachtung, aber primär unter den unmittelbar Interessierten. Die Länderrechte sollen im Zeitalter des Übergangs nach Europa gestärkt werden, wobei es im übrigen gut aufzupassen gilt. Unser Föderalismus ist tief in unserer deutschen Geschichte und Bewußtseinslage verankert. Aber er darf nicht unsere außenpolitische Handlungsfähigkeit als Bundesrepublik lähmen.

Es gibt einige zusammenfassende wissenschaftliche verfassungsrechtliche Vorschläge ohne spürbare starke Wirkung in der Öffentlichkeit. Die Medien haben in mehreren bemerkenswerten, insgesamt aber doch eher zarten Beiträgen die Gründung der Kommission und ihre ersten Sitzungen begleitet. Das mag und wird sich hoffentlich noch weiterentwickeln. Wahrscheinlich hätte es eine die öffentliche Aufmerksamkeit belebende Wirkung, wenn in dem Beratungsgremium einmal die Institutionen in die Diskussion einbezogen würden. Ich bin davon überzeugt, daß in der Verfassungskommission eine sachliche und konstruktive Atmosphäre herrscht und daß sie deshalb den notwendigen öffentlichen demokratischen Dialog fördern kann.

*Hängt das nicht damit zusammen, daß die Vereinigung überhaupt so wie eine Selbstverständlichkeit aussah, nämlich über den Artikel 23, so daß auch die Verfassung und ihre Institutionen eben kein großes Thema wurden?*

Das ist schon richtig, aber muß daraus eine prästabilierte Diskussionsangst werden?

*Wir würden es viel lieber mit Jürgen Habermas halten, der auf einen normativen Akt der Verfassungs-Setzung schon deshalb besonders gedrängt hat, weil die Vereinigung nur als »Beitritt« ablief, während man wenigstens hätte gefragt werden wollen – schon damit das vereinte Land ein stabileres und bewußteres Fundament bekäme.*

Ich habe jetzt kein Bedürfnis mehr darüber zu diskutieren, was hätte anders laufen können. Vielmehr möchte ich mich auf dem Boden dessen, was bei der Vereinigung rechtlich und tatsächlich geschehen ist, dafür einsetzen, daß in dem Verfassungsgremium und in der Öffentlichkeit keine resignative Gesprächshaltung eintritt: Bei einigen, weil sie fürchten, sich doch nicht durchsetzen zu können, bei anderen, weil sie Veränderungen sowieso lieber verhindern, und bei den meisten zusammen, weil sie bestimmte, sehr wichtige, aber unbequeme Themen, also vor allem die Rolle der Parteien, entweder nicht durchschauen oder lieber mit Schweigen übergehen möchten.

*Sie haben von den unterschiedlichen Interessen der beiden großen Lager in dieser Verfassungsdebatte gesprochen. Was ist denn Ihr Eindruck, wie die Interessen der beiden zueinandergekommenen deutschen Gesellschaften in der Verfassungsdebatte sind? Hätte man erwarten können, daß ein großer Druck auf diese Debatte aus den neuen Ländern käme?*

Die Verfassungsanpassung ist Folge des Einigungsvertrages. Dieser Vertrag wurde zwischen den beiden deutschen Staaten geschlossen. Dabei wurden die Grundgedanken der westlichen Verfassung von keiner Seite in Frage gestellt. Dennoch gab es viele Einzelfragen und da tritt man niemandem zu nahe, wenn man sagte, der Vorgang der Vereinigung ist im wesentlichen vom Westen vorgedacht und vollzogen worden.

Blicken wir, was die Parteien anbetrifft, noch einmal auf die Entwicklung des Jahres 1990 zurück. Damals kam in der neugewählten Volkskammer der DDR noch eine Gesellschaft durch ihre erstmals demokratisch legitimierten freien Repräsentanten zu Wort, ohne daß man schon in das Parteienstaatsdenken hineingewachsen gewesen wäre, das uns im Westen seit Jahr und Tag prägt. Die Beratungen und Beschlußfassungen dieser Volkskammer bis hin zu ihrer Auflösung waren durchaus keine Absage an Parteien und Fraktionen, aber eine erfrischende Erfahrung, wie man mit ernsten, großen, zum Teil unbekannten Problemen in einem Parlament so umgehen kann, daß die Fraktions- und Parteigrenzen vielfach vollkommen unsichtbar bleiben.

*Was viele hier sehr verwirrt hat.*

Die meisten im Westen haben das leider gar nicht so genau beobachtet, sondern der Arbeit der Volkskammer eine rein beiläufige Aufmerksamkeit gewidmet. Gleichzeitig war dasselbe Jahr 1990 von vier Wahlkämpfen und Wahlentscheidungen gekennzeichnet, in denen sich von Mal zu Mal mehr und gipfelnd in der Bundestagswahl im Dezember 1990 der westliche Parteienstaat im Osten durchgesetzt hat. Welche Auswirkungen dies auf die innere Haltung der Deutschen in der ehemaligen DDR bisher gehabt hat und noch haben wird, ist nicht ausgemacht, aber wichtig. Ist das kein Impuls für die Verfassungskommission?

*Die Mütter und Väter des Grundgesetzes haben sich für ein System des repräsentativen Parlamentarismus in Westdeutschland entschieden. Im Grundgesetz selber traten die Parteien kaum in Erscheinung. Sehr bald aber begannen die Parteien, die in der deutschen Demokratie-Geschichte eine auffallend periphere Rolle gespielt hatten, zu dominieren. Sie schoben sich immer mehr in den Vordergrund, es wurde ihnen aber auch immer mehr abverlangt. Die kritischen Debatten der Verfassungsrechtler schon in den 50er Jahren kreisen nicht zuletzt um den Parteienstaat oder Parlamentarismus. Aber die Parteien prägten bald die westdeutsche Demokratie – und sie ist zunächst einmal so schlecht damit auch nicht gefahren.*

Den wesentlichen Inhalt der Verfassung zu den Parteien, also des Artikels 21, haben wir schon erörtert. Was das Parteiengesetz selbst sagt, ist höchst interessant. Da ist nicht mehr von einer bloßen Mitwirkung »bei der politischen Willensbildung des Volkes« die Rede, sondern nun wird daraus die Mitwirkung »auf allen Gebieten des öffentlichen Lebens«, »indem sie«, wie es weiter heißt, »insbesondere auf die Gestaltung der öffentlichen Meinung Einfluß nehmen«. Was heißt eigentlich hier Einfluß nehmen? Ist Mitwirken bei und Einflußnehmen auf dasselbe? Ist dies so vom Grundgesetz gewollt? Der Einfluß der Parteien geht ohnehin über den politischen Willen, von dem allein die Verfassung redet, weit hinaus. Die Parteien wirken an der Bildung des gesamten gesellschaftlichen Lebens aktiv mit. Sie durchziehen die ganze Struktur unserer Gesellschaft, bis tief hinein in das seiner Idee nach doch ganz unpolitische Vereinsleben.

*... das sogenannte »Vorfeld«, von dem Politiker sprechen...*

Ja, aber was heißt Vorfeld? Wessen Vorfeld? Vorfeld wofür? Der Ausdruck suggeriert doch, der Sinn des Lebens wäre die Politik.

*So wird es in den Parteien meist gesehen. Alles ist »Vorfeld«, von den Pfadfindern bis zur Blaskapelle.*

In der Tat geht der Einfluß weit über den öffentlichen, staatlichen Bereich hinaus. Er reicht direkt oder indirekt in die Medien und bei der Richterwahl in die Justiz, aber auch in die Kultur und den Sport, in kirchliche Gremien und Universitäten. Es geht darum, sich an der Bildung der Meinungen im Kleinen und im Großen zu beteiligen und den Zuspruch umfassend vorzubereiten und auszubauen, den man bei der nächsten Wahl gerne finden möchte.

Wenn das Parteiengesetz die Parteien legitimiert, auf die Gestaltung der öffentlichen Meinung Einfluß zu nehmen, dann fördert es damit – ob gewollt oder nicht – eine Entwicklung, die zu einem Mißstand geworden ist. Man denke nur an die unaufhörliche und ungenierte Tätigkeit von Parteien in den öffentlich-rechtlichen elektronischen Medien.

*Historisch besehen, waren die demokratischen Parteien in*

*Großbritannien oder Amerika früher da und trugen zur inneren demokratischen Stabilität erheblich bei, während Deutschland nachhinkte. Jetzt klagen manche Kritiker, kaum irgendwo sonst seien die Parteien so »versäult« wie in Deutschland.*

Die Unterschiede sind erheblich. Das hängt mit der Tradition im Wahlrecht und vor allem mit den Mentalitäten der verschiedenen Gesellschaften zusammen.

Das klassische Land der Parteien ist Großbritannien. Dort herrscht ein unverfälschtes Mehrheitswahlrecht. Deshalb ist bisher dort die den ganzen Kontinent prägende derzeitige Tendenz kaum zur Geltung gekommen, nämlich der laufende Verlust der in die Mitte drängenden großen Parteien und die Stärkung der von ihnen verlassenen Ränder durch radikale oder Protestwählerparteien. Es gibt in Großbritannien klare Mehrheitsverhältnisse, es kann exekutiv und legislativ eindeutig entschieden werden und das geschieht auch. Die Bevölkerung ist härter im Nehmen als bei uns. Das Gestrüpp von Interessen und Privilegien der Gruppen, von Besitzständen, rechtlich gesicherten Ansprüchen ist in Großbritannien geringer und daher die Bewegungsmöglichkeit der Politik größer. Ein britischer Premierminister hat es wesentlich leichter zu regieren als ein deutscher Bundeskanzler. Die Parteien sind auf der Insel politisch stark, aber sie dringen nicht in alle Ritzen der Gesellschaft ein.

*Und wie fällt der Vergleich mit Amerika aus?*

Die Parteien in Amerika haben einen weit geringeren programmatischen und politischen Einfluß. Vor allem ist ihr Anteil an der Entscheidung über Kandidaturen ungleich schwächer als bei uns. In den USA wird über die wichtigsten politischen Kandidaturen letzten Endes in einem öffentlichen Fernsehwettbewerb entschieden, zu dem die Streiter auf eigene Initiative und Rechnung antreten.

*Das wäre das Modell »Medienstaat« statt »Parteienstaat«. Soll man sich das wünschen? Was dort ein »Parteitag« ist, ähnelt noch mehr einem Zirkus als hierzulande.*

Selbstverständlich spielt auch bei uns das Fernsehen zusammen mit den anderen Medien eine große Rolle. Für das Entscheidende aber halte ich, daß in Deutschland der politische Nachwuchs ausschließlich Sache der Parteien ist. In ihren Gremien wird praktisch allein darüber befunden, wer für ein politisches Amt kandidieren darf.

Für beide Modelle aber, für den Medienstaat und den Parteienstaat gilt, daß die Anziehungskraft des politischen Berufs nachhaltig zurückgegangen ist. Für Amerika kann man sagen, daß dort vor Jahrzehnten noch die Besten der nachwachsenden Generationen sich mindestens für eine Zeitlang im öffentlichen und politischen Dienst betätigt haben. Heute ist dies sehr anders geworden. Die Absolventen der hervorragenden Universitäten gehen lieber direkt an die Wall Street oder in andere lukrative private Berufe. Sie haben keine Neigung, sich in den politischen Fernsehwettbewerben einer exhibitionistischen Inquisition über alle persönlichen und finanziellen Details ihres Privatlebens auszusetzen.

In Deutschland ist mit dem Ansehen der Parteien auch die Attraktivität des politischen Berufs zurückgegangen. Hinzu kommt bei uns im Gegensatz zu Amerika, daß wir über eine weit geringere Berufsmobilität verfügen.

Einmal im öffentlichen Dienst, immer im öffentlichen Dienst, und bitte keine Außenseiter hereinlassen. Dasselbe gilt für die Wirtschaft auch. Politiker werden immer mehr von Jugend an zu parteiabhängigen Berufspolitikern, Selbständigkeit und Qualität nehmen ab.

*Gelegentlich ist in Amerika auch etwas neidisch argumentiert worden, die deutsche Parteienstaatdemokratie schütze vor Dilettantismus und vor Dilettanten. Das Berufspolitikersystem hat, so betrachtet, auch seine Vorteile und die vielgeschmähte »Ochsentour« eine gewisse erzieherische Wirkung.*

In Amerika zeigt die Erfahrung, daß man ganz andere Eigenschaften braucht, um Präsident zu sein, als die, die einem dazu verholfen haben, Präsident zu werden. Bei uns ist ein Berufspolitiker im allgemeinen weder ein Fachmann noch ein Dilettant, sondern ein Generalist mit dem Spezialwissen, wie man politische Gegner bekämpft. Selbstverständlich ist die Befähigung zum Generalisten nichts Schlechtes, sondern etwas unvermeidlich Notwendiges für einen Politiker. Dennoch ist es ein spürbarer Mangel, daß wir auf wichtigen Fachgebieten in der Politik zum Beispiel viel zu wenig wirkliche Kenner haben. Der Bundestag weist kaum ein Mitglied auf, das bei so wichtigen und schwierigen Themen wie etwa der Währungspolitik in der Lage wäre, mit den sachverständigen Vertretern der Bundesbank, der Wissenschaft und der Exekutive von gleich zu gleich zu diskutieren. Der Hauptaspekt des »erlernten« Berufs unserer Politiker besteht in der Unterstützung dessen, was die Partei will, damit sie einen nominiert, möglichst weit oben in den Listen, und in der behutsamen Sicherung ihrer Gefolgschaft, wenn man oben ist. Man lernt, wie man die Konkurrenz der anderen Parteien abwehrt und sich gegen die Wettbewerber im eigenen Lager durchsetzt.

Doch wo bleibt der politische Wille des Volkes? Ich sage ja nicht, daß es sich bei unseren Berufspolitikern um böse Führer eines guten Volkes handele. Gut und Böse ist wie immer ziemlich gleichmäßig verteilt. Aber wie kommt dabei der politische Wille des Volkes zum Ausdruck? Wie wird er beeinflußt? Worauf zielt er ab? Heute haben wir es zunächst und vor allem mit einem gewaltigen Bedarf in der Gesellschaft nach Orientierung zu tun. Es sind tiefe Fragen, die vom Lebenswert und Lebenssinn bis in alle Bereiche des Zusammenlebens zu Hause und in der Welt reichen. Die liberale Demokratie hat in ihrer westlichen Form am Ende des Kalten Krieges gesiegt. Doch nun ist eben die Geschichte keineswegs an ihr Ziel gelangt, ohne noch offene Fragen. Im Gegenteil, das Verlangen nach Orientierung wird nun um so größer. Haben Parteipolitiker dafür ein Amt und eine Befähigung?

Schon in den siebziger Jahren hat es einmal eine große Diskussion über Grundwerte und Ziele in unserer Demokratie gegeben. Helmut Schmidt hat damals die These vertreten, Parteien und Politikern käme hier nur äußerste Zurückhaltung zu.

*Er hat sich gewehrt dagegen, daß ihm geistig-politische Führung abverlangt wird.*

Ja. Und zugleich hat er sie nachhaltig wahrgenommen, wenn auch in einer Art und Weise, als wolle er sie abwehren.

In einer Demokratie kommt es auf die Gesellschaft im

ganzen an, auf ihren Willen, ihre Moral, ihre Einsicht, ihren Geist, dagegen nicht allein auf Parteien. Dennoch finde ich es notwendig und legitim, daß sich Politiker solcher Orientierungsfragen mit großem Ernst annehmen. Natürlich haben sie nichts vorzugeben oder gar vorzuschreiben. Sie entscheiden nicht über das Wahre, Gute und Schöne. Aber Grundsatzdiskussionen berühren unser aller Menschenbild und tragen dazu bei, enge Parteigrenzen im Denken zu überschreiten.

Statt dessen hört die Bevölkerung leider weit mehr vom Kampf um Posten, von Parteiinteressen, ihrer Organisation und ihrer materiellen Grundlagen. Es ist symptomatisch, daß ein Thema zum meist diskutierten geworden ist, obwohl es nicht die Ursache, sondern nur eine Folge des Unbehagens ist: Die Parteienfinanzierung. Also die Wahlkampfkostenerstattung und die Spendenregelungen, die Gemeinnützigkeit, welche sich die Parteien selber bescheinigen, die Diäten und Pensionen, die Ausstattung von Fraktionen und Parteistiftung. Das Verfassungsgericht hat jetzt deutlich eingegriffen. Dennoch leben die Parteien bei uns im Vergleich zu anderen westlichen Demokratien in ihrer materiellen Ausstattung immer noch im Schlaraffenland.

*Sollte man, um solche Wucherungen zu verhindern und andere Personen in die Politik zu locken, die Öffentlichkeit stärker beteiligen?*

Ja, warum denn nicht? Ein größerer Einfluß auf die Auswahl der Kandidaten ist durchaus denkbar. Man muß nicht gleich so weit gehen zu verlangen, daß sämtliche Mitglieder einer Partei ihren Kanzlerkandidaten urwählen. Aber es wäre gut, die Oligarchien in den Parteien stärker zu öffnen. Die Amerikaner haben ihr bekanntes Vorwahlsystem der *primaries* mit seinen Stärken und Schwächen.

*Wir sind sehr skeptisch, ob dieses System, so wie es sich in den letzten zwanzig Jahren in Amerika entwickelt hat, tatsächlich zur Nachahmung empfohlen werden sollte.*

Nachahmen sollten wir es nicht. Aber neben seinen schon erörterten negativen Auswirkungen eines mangelnden Magnetismus für guten Nachwuchs in der politischen Klasse gibt es ohne Zweifel der Basis mehr Möglichkeiten, mitzubestimmen.

Bei uns gibt es auf der kommunalen Ebene gute Beispiele. Ich erinnere an die Verfassungen in Bayern und Baden-Württemberg. Dort werden die Kommunalpolitiker, insbesondere Bürgermeister und Landräte, direkt gewählt. Das halte ich für politisch und demokratisch weit gesünder, als etwa das Wahlsystem in Nordrhein-Westfalen. Leider hat aber gerade in diesem Land die Mehrheitspartei die Veränderung der Kommunalverfassung im Sinne der süddeutschen Vorbilder noch einmal ausdrücklich abgelehnt, ein klassischer Fall der Machtbehauptung von Parteizentralen und der Abschreckung der Bevölkerung.

*Würden Sie mit Ihren Anregungen zur Selbstkorrektur und Öffnung bei der kommunalen Ebene stehenbleiben oder sollten direktere Wahlprozesse – Stichwort USA – doch auch auf der bundespolitischen Ebene initiiert werden?*

In der Bundesebene ist dies schwieriger, aber nicht ausgeschlossen. Unser Bundestagswahlrecht verbindet in subtiler Weise Mehrheits- und Verhältniswahlrecht, obwohl es im politischen Ergebnis ein reines Verhältniswahlrecht ist. Für eine Direktwahl des Bundeskanzlers, wie bei einem Oberbürgermeister, bin ich nicht, aber größere Beteiligung bei der Aufstellung der Wahlkreiskandidaten und bessere Auswahlmöglichkeit in den von den Parteien vorfabrizierten Listen sind sehr wohl denkbar. Warum nicht überhaupt das Listensystem und Zahlenverhältnis der direkt im Wahlkreis und der über die Listen gewählten Abgeordneten einmal einer kritischen Prüfung unterziehen?

Aber es geht nicht nur um Wahlrechtsänderungen, sondern generell darum, daß die Distanz zwischen Parteien und Bevölkerung nicht immer weiter wachsen sollte. Ich hoffe, daß allmählich die Aufmerksamkeit der Parteien für die Punkte wächst, an denen sich darüber soviel entscheidet, wie der normale demokratische Bürger auf die Parteien reagiert und wo man ihm mit einleuchtenden und einfachen Mitteln einen Schritt entgegenkommen kann. Die Beseitigung der Diätenfestsetzung nach dem bisherigen Schema ist dafür ja nur ein Beispiel, und noch nicht das wichtigste.

*Die Methode der Festsetzung durch die Abgeordneten selbst...*

Ja. Ferner sieht zum Beispiel die bayerische Verfassung Volksbegehren vor. Das ist kommunal und regional leichter zu praktizieren als auf der Bundesebene. Aber auch viele Bundesländer bei uns kennen keine solchen plebiszitären Elemente. Es ist dem Denken der Parteien bei uns immer noch eher fern.

In der Kommunalpolitik der neuen Länder wird allmählich schmerzvoll registriert, wie sich dort westliches Konfrontationsdenken der Parteien durchsetzt, anders als, wie erwähnt, noch in der Volkskammer 1990. Die Fälle nehmen zu, in denen ein Antrag zunächst deshalb abgelehnt wird, weil er von der jeweils anderen Partei kommt. Natürlich gibt es auch gute Beispiele. Daß aber Abgeordnete Vertreter des ganzen Volkes und nicht allein ihrer Partei sind, muß immer wieder in Erinnerung gerufen werden.

*Im Grunde plädieren Sie gegen das, was wir in der Westrepublik verinnerlicht haben, nämlich die Parteipolitisierung aller Politik.*

Ja. Ein Grundübel ist die ständige Versuchung, das Verhältnis von Problemlösung und Parteiziel umzudrehen. Eine Partei ist, wie die lateinische Wurzel des Wortes besagt, nicht das Ganze, sondern Teil des Ganzen. Die Parteien sind geschaffen, damit sie im Wettbewerb untereinander nach den besten Lösungen für die Probleme suchen. Sie haben eine dienende Funktion gegenüber den Problemen. Ihr Streit untereinander ist nicht nur legitim, sondern auch notwendig und heilsam, aber immer unter der Voraussetzung, daß die Parteien die Instrumente zur besseren Lösung der Probleme bleiben. Statt dessen geschieht allzu oft das Umgekehrte, nämlich die Probleme zu instrumentalisieren, um die Ziele einer Partei gegen eine andere besser erreichen zu können.

*Beispiel Asyl.*

Ja, und es ist um so gravierender, je wichtiger und schwieriger die Probleme sind.

*Aber wir reden von dem Anfang in Deutschland, dieser Chance, 1989 als große Zäsur anders zu nutzen. Das ist nach Ihrem Urteil also nicht geschehen.*

Jedenfalls wurde an die Praxis und die Akzeptanz der Parteien bei den Menschen kaum gedacht. Nun kommt etwas weiteres hinzu. Wenn ich sage, wir haben fünf Verfassungsorgane, zu denen sich ein sechstes hinzugesellt habe, dann stoße ich oft auf die Vermutung, zumal bei den Parteien selbst, ich meinte mit diesem sechsten die Medien.

Gewiß, die Medien haben einen großen politischen Einfluß, zumal das Fernsehen, welches noch gar nicht existierte, als die Verfassung geschaffen wurde. Die Parteien kommen im Grundgesetz nur marginal vor, die Medien immerhin bei den Grundrechten im Zuge der Pressefreiheit. Aber zu beobachten ist nun doch, daß die Medien sich der durch die Parteien veränderten Verfassungswirklichkeit und der von ihnen vorgegebenen Rangordnung der Fragestellungen immer mehr anpassen.

*Ein ernüchterndes Urteil: Die Medien als Mitwirkende im Staatsschauspiel der Parteien.*

Nicht in dem Sinne, daß es an Kritik der Politiker und Parteien durch die Medien fehlen würde. Aber allzu oft machen Medien den unheilvollen Umkehrprozeß der Wichtigkeiten mit: Das ist der Fall, wenn sie das Schicksal der Parteien interessanter finden als die Lösung der Probleme. Wie oft sind die Aufmacher in Zeitungen und elektronischen Nachrichten eher den Parteien als den schwierigen Sachfragen gewidmet. Ob Kandidaten gegeneinander kämpfen oder ob da ein Außenseiter es gewagt hat, gegen das öffentlich bekundete Interesse seiner Partei aufzustehen, das findet immer große Beachtung. Eine Partei braucht nur für irgendeinen Landesparteitag einzuladen und schon kommen Journalisten in großer Zahl. Wenn es dagegen um eines der großen Probleme unserer Zeit geht, muß man sich gehörig anstrengen, um die Aufmerksamkeit der berichtenden und kommentierenden Medien dafür zu gewinnen.

Natürlich ist der Wettkampf um Kandidaturen und Mehrheiten oder das Machtgeschiebe in Parteien eine wichtige und zugleich journalistisch unterhaltsame, wie auch relativ leicht wiederzugebende Angelegenheit. Die Schilderung der Gründe für die politische und soziale Unbeweglichkeit in unserer Gesellschaft oder der Zusammenhang zwischen Not in der Dritten Welt und Umweltzerstörung, solche Dinge sind weit schwieriger zu schildern. Jeder Journalist tut ein gutes Werk, der nicht immer der Vorgabe der Thematik durch die Parteien folgt, sondern der sie mahnt, nicht ihre Parteiziele über die Problemlösungen zu stellen, sondern der sie an ihre dienende Funktion erinnert.

*Im Grunde heißt das doch, die Medien haben ihre Rolle als vierte Gewalt, als unabhängige Instanz, nicht wirklich gefunden?*

Die Medien sind, wie die Parteien, Bestandteil der ganzen Gesellschaft. Dabei haben sie vor allem eine Sache mit den Parteien gemeinsam: Die Medien brauchen ihre Einschaltquoten und Auflagen, die Parteien ihre Wähler. Der Begriff der drei Gewalten, der aus dem 18. Jahrhundert stammt, und nun der einer vierten Gewalt paßt nach meinem Gefühl nicht recht zur Mentalität und Struktur unserer heutigen Gesellschaft. Denn wo kommen im herkömmlichen Schema der Gewaltenteilung die Kräfte vor, die in unserer Zeit so viel Einfluß haben, Parteien, Koalitionen, Tarifpartner, der Föderalismus, die internationale Interdependenz?

*Die Parteien haben vermutlich darauf vertraut, das Parlament kontrolliere die Exekutive. Für das Selbstverständnis der Medien hieß das, daß sie wiederum darauf vertrauen und sich nicht als vierte Gewalt begreifen. Der amerikanische investigative Journalismus ist nicht sehr verbreitet in Deutschland.*

Den Gedanken, daß die Parteien darauf vertrauen, das Parlament kontrolliere die Exekutive, finde ich mitunter geradezu herzbewegend. Die Wahrheit ist doch weit eher die, daß es die Parteiführungen sind, die den Gang der Dinge in der Gesetzgebung und Regierung steuern. Und da bei uns zu allermeist eine Parlamentsmehrheit nur durch Koalitionen zustandekommt, gesellt sich als oft wichtiges Entscheidungszentrum die Koalitionsrunde dazu. Maßgebliche Weichen werden dort gestellt. Was hat das noch mit der überlieferten Gewaltenteilung zu tun, oder auch nur mit dem Text unserer Verfassung?

Betrachtet man nun die einzelnen Verfassungsorgane und das ihnen im Jahr 1949 vom Grundgesetz zugedachte Gewicht, so fällt vor allem die ständig gewachsene Bedeutung des Bundesverfassungsgerichts auf. Seine Einrichtung war eine wirkliche Innovation in unserer Verfassungsgeschichte. Es hat großes Ansehen und starken Einfluß gewonnen. Dies liegt gewiß auch an der Qualität seiner Rechtsprechung, aber nicht allein. Vielmehr ist es zugleich ein Zeichen für den politischen Zustand der Gesellschaft, für eine abnehmende Wirksamkeit der klassischen Gewaltenteilung, für eine Zunahme der parteitaktischen, nicht immer rechtlich ausreichend gesicherten Kompromisse. Da wirkt das Gericht wie eine ersehnte überparteiliche Oase.

Die Position der Exekutive ist stark. Dies beruht auf dem Willen und Text der Verfassung, zum Teil auch auf einer höchst einflußreichen, sachverständigen und überdies verfassungsrechtlich nicht recht faßbaren Bürokratie.

Die Parlamente haben eher an Gewicht verloren. Dies gilt noch stärker für die Länder als für den Bund. Das Selbstbewußtsein der Landtage ist durch die starke Stellung der Ministerpräsidenten, die Bundes- und die europäische Ebene zurückgegangen.

*An welchen Zeitraum denken Sie, wenn Sie diesen Entwertungsprozeß beschreiben, hat sich dieser Gewichtsverlust der Parlamente allmählich oder erst in den letzten Jahren vollzogen?*

Die wichtigsten gesetzgeberischen Entscheidungen werden, wie gesagt, seit langem vorab und oft außerhalb der Ausschuß- und Plenararbeit des Parlaments vollzogen. Dennoch gab und gibt es große Stunden des Bundestages. Bedeutung erlangt das Parlament, wenn es bei bewegenden, aber noch ungeklärten Fragen in seinen Debatten wirklich offen auf das Für und Wider der Probleme eingeht. Zu den eindrucksvollsten Aussprachen des Bundestages in den letzten Jahrzehnten gehören die Verjährungsdebatte und die Notstandsgesetzgebung, vor allem aber die schon erwähnte Auseinandersetzung über die Ost- und Deutschlandpolitik im Anfang der siebziger Jahre.

*... die Nachrüstungsdebatte im Jahr 1983 war zumindest von der Dramaturgie her sehr aufwendig...*

Nein, den Streit über die Nachrüstung hat die Bundestagswahl im Winter 1982/83 entschieden. Dann gab es einige wichtige Aussprachen über die Vereinigung. Die Debatte über die Hauptstadtfrage hatte Niveau. In den meisten Fällen aber ist eine von den Parteien bestimmte Stromlinienförmigkeit bis tief in die Parlamente hinein zu registrieren.

*Die Grünen haben noch einmal Bewegung in diese stromlinienförmige Parteien- und Parlamentswelt gebracht.*

Das ist richtig.

*Wir haben bisher noch gar nicht über das fünfte Verfassungsorgan gesprochen, den Bundespräsidenten.*

Bei der Frage des Staatsoberhauptes in der Beratung des Bonner Grundgesetzes orientierte man sich legitimerweise ganz vorrangig an den Auswüchsen des Präsidialsystems in der Weimarer Spätphase. Also: Nur nie wieder ein Hindenburg-Notverordnungs-Regime...

*... und keine Volkswahl, auch unter diesem Trauma standen die Grundgesetzberatungen.*

Richtig. Nun ist inzwischen beinahe ein halbes Jahrhundert vergangen. Die Präsidialprobleme der Weimarer Zeit sind uns wahrlich fern.

Offene Fragen der Exekutive und Legislative soll und kann der Präsident nicht präjudizieren. Aber von langfristigen Aufgaben zu sprechen, die über die Legislaturperiode hinausweisen, und an die demokratische Gemeinsamkeit der Parteien auch in ihrem streitigen Ringen um die Lösung der Probleme zu erinnern, das kann sehr wohl konkret zu seiner wichtigsten Funktion gehören, nämlich der Überparteilichkeit Ausdruck zu verleihen.

Und dann möchte ich Sie an die Auflösung des Bundestages im Jahre 1982 erinnern. Wenn überhaupt, dann mußte sie der Bundespräsident verfügen. Die sozial-liberale Koalition unter Kanzler Helmut Schmidt war zerbrochen, es ging um Neuwahlen. Die Aufregung und die verfassungsrechtliche Grundsatzdebatte waren riesengroß. Mit Recht prüfte der damalige Bundespräsident auf das gewissenhafteste und mit großer verfassungsrechtlicher Kompetenz, was er tun dürfe und solle. Er überwand begründete eigene Bedenken, vollzog die Auflösung und handelte nach meiner Überzeugung hervorragend. Eine Überprüfung durch das Verfassungsgericht bestätigte, was er getan hatte. Doch welche Folgerung wird nun heute erwogen? Die Parteien steuern auf das ihnen Nächstliegende zu, nämlich das überparteiliche Organ ganz auszuschalten und dem Bundestag einfach das Selbstauflösungsrecht zu geben.

*Bedürfte es denn zur Stärkung der Autonomie auch dieses Verfassungsorgans Bundespräsident einer Korrektur der Verfassung selber? Oder hat die Geschichte der Präsidenten – Theodor Heuss, Heinrich Lübke, Gustav Heinemann, Walter Scheel, Karl Carstens und Richard von Weizsäcker – nicht letztlich erwiesen, daß die Inhaber des Präsidentenamtes diese Autonomie als Person haben und dadurch über Autorität verfügen oder eben nicht?*

Wenn Sie nach der ungeschriebenen Autorität des Präsidenten fragen, bin ich als Betroffener zu keiner Antwort befugt. Nur eines möchte ich hierzu anmerken. Die Person spielt in diesem Amt eine besonders große Rolle, gerade weil die rechtlichen Funktionen schmal bemessen sind, der Präsident aber – anders als der Monarch in den konstitutionellen Königreichen – nicht vorgeschriebene Papiere der Regierung verliest, sondern eigene Überzeugungen ausspricht.

Wenn jetzt über die Amtsdauer des Bundespräsidenten diskutiert wird, also einmal sieben Jahre oder bis zu zwei mal fünf Jahren, dann möge man an das Wesentliche denken, nämlich an die nicht immer leicht vorhersehbare Eignung der Person im Amt. Den einen möchte man gerne möglichst lange behalten, den anderen vielleicht doch lieber schon nach fünf Jahren ablösen. Also was soll das Herumdoktern an der Amtszeit? Das Beste, was die Parteien um ihres Ansehens bei der Bevölkerung willen mit dem Präsidentenamt machen können, ist erkennbarerweise geeignete, zur Überparteilichkeit befähigte und entschlossene Leute für das Amt zu nominieren und möglichst wenig zu taktieren. Es wäre gut, wenn sie ihren immer wieder auftauchenden Abwehrinstinkt gegen Überparteilichkeit wenigstens an dieser Stelle sichtbar überwinden würden. Ich glaube, es käme ihnen selbst letzten Endes zugute.

*Hielten Sie es denn, bei dem Abstand zur Weimarer Zeit, für sinnvoll, das Amt des Präsidenten durch erneute Einführung der Direktwahl zu stärken?*

Eine Direktwahl kann ambivalente Wirkungen haben. Wenn es im Wahlkampf zu polemischen Konfrontationen kommt, kann es die überparteiliche Aufgabe des Wahlsiegers erschweren. Positiv dagegen könnte sich das parteiunabhängige, direkt von der Bevölkerung gegebene Mandat auswirken. Aber ich möchte hier keine Vorschläge machen. Wichtiger ist, für welche Beiträge in unserem politischen Leben man das Präsidentenamt braucht und sucht. Dabei geht es meiner Meinung nach nicht nur darum, die über- oder unparteiliche Instanz des Präsidenten lediglich dann in Anspruch zu nehmen, wenn Parteien oder Parlamentarier befangen wären, also die Diäten wieder als Beispiel.

Oft gibt es schwierige klärungsbedürftige Fragen, für die man in Großbritannien die Institution der »Royal Commissions« gefunden hat. Diese werden übrigens anders als der Name es vermuten läßt, nicht von der Königin, sondern von der Regierung eingesetzt. Aber das könnte man in einer Republik einmal etwas besser machen, mit »presidential commissions«. Das Staatsoberhaupt wäre nicht dazu da, die Kommissionsarbeit zu lenken oder auf ihre Ergebnisse Einfluß zu nehmen. Auch könnte eine solche Kommission selbstverständlich nicht die Befugnisse von Parlament und Regierung ersetzen. Aber uns fehlt ganz deutlich die Praxis solcher Einrichtungen. Sie könnten langfristig bedeutungsvolle Themen sachverständig aufbereiten und Empfehlungen geben. Sie wären auch ein nützlicher Beitrag zur demokratischen Bürgergesellschaft, zur Vorarbeit für politische Führung. Beim überparteilichen Präsidentenamt wären sie gut aufgehoben.

*Wir reden von den möglichen Orten von Politik und von dem Autonomieverlust verschiedener Institutionen der Republik. Dann kann man in der Tat diese Erwägung, Ihr eigenes Amt betreffend, nicht auslassen. Wäre der andere mögliche Ort, den Sie selber erwähnt haben, das Parlament? Oder schraubt man die Erwartungen an die Volksvertretung damit zu hoch?*

Man darf mit den Erwartungen an die Volksvertretung niemals nachlassen, auch wenn sie nicht immer erfüllt werden, wie etwa beim Vereinigungsprozeß. Es war die Exekutive, die ihn in Gang gesetzt und umgesetzt hat. Das Parlament ist ihren Weg einigermaßen willig mitgegangen. Ein bedeutsames Thema, über das die Legislative autonom diskutiert und entschieden hat, war die Hauptstadtfrage. Auch das Stasi-Gesetz wäre zu nennen. Das Parlament hat sich seiner Aufgaben bei der Vereinigung gewissenhaft entledigt, aber nicht in der Sache selbst führend.

Ich möchte daher lieber wieder anknüpfen an den Einfluß der Parteien und Parteiführungen und noch einmal an das Wort von Hans-Peter Schwarz erinnern, der über den Weg von der Machtversessenheit zur Machtvergessenheit in Deutschland gesprochen hat. Nach meiner Überzeugung ist unser Parteienstaat von beidem zugleich geprägt, nämlich machtversessen auf den Wahlsieg und machtvergessen bei der Wahrnehmung der inhaltlichen und konzeptionellen politischen Führungsaufgabe.

Wahlkämpfe müssen sein und der Kampf der Parteien um Wahlsiege ist legitim und notwendig. Auch Exzesse, sei es der Werbung, sei es der Polemik in Wahlkämpfen, empfinde ich nicht als das Hauptproblem. Aber Mandate aufgrund von Wahlergebnissen sollen doch nur die Voraussetzung für die eigentliche Aufgabe der Politik sein, nämlich die Herausforderung der Zeit zu erkennen und mit ihren Risiken und Chancen fertig zu werden. Doch diese werden allzu rasch im Lichte der nächsten Wahlkämpfe gesehen. Demgegenüber gerät die Ausübung der Macht im Sinne der notwendigen konzeptionellen politischen Arbeit ins Hintertreffen.

*Parteienstaatskritik in Deutschland hat Tradition und hatte oft mit antidemokratischen Affekten zu tun, wie die Weimarer Republik gezeigt hat. Ein Zurück zur Honoratiorenpartei verbietet sich. Die »Elite der Vernünftigen«, eine Oligarchie der Besten, ist kein demokratisches Politikmodell oder Leitbild. Sollte man es sich denn wünschen?*

Ganz gewiß nicht. Deshalb wollen wir aber doch nicht gegenüber erkennbaren Defiziten unseres Zustandes resignieren. Wir leben in einer Demoskopiedemokratie. Sie verführt die Parteien dazu, in die Gesellschaft hineinzuhorchen, dort die erkennbaren Wünsche zu ermitteln, daraus ein Programm zu machen, dieses dann in die Gesellschaft zurückzufunken und sich dafür durch das Mandat für die nächste Legislaturperiode belohnen zu lassen. So ist es zwar nicht immer, aber zu oft. Und es handelt sich um einen Kreislauf, bei dem die politische Aufgabe der Führung und Konzeption zu kurz kommt. Es ist ein Zusammenspiel von Schwächen derer, die die Mandate suchen, und jener, die sie erteilen.

*Damit kommt man aber zu kritischen Fragen über die Verfassung der Gesellschaft selbst. Die Parteien reflektieren doch offensichtlich oft nur deren Schwächen oder Defizite, Gewohnheiten oder Ängste.*

Genau darauf will ich ja hinaus. Welche Wünsche gibt es in dieser Gesellschaft? Worin findet sie ihre Übereinstimmung? Wo geht ihr Konsens über Marktwirtschaft und Wohlstand hinaus? Die D-Mark sei die Identität der Deutschen, so wurde es in der Diskussion über die Beschlüsse von Maastricht häufig formuliert. Das mag eine Karikatur sein, dennoch spielen jedenfalls im Westen die Besitzstände eine enorme Rolle.

*Und Feindbilder.*

Die Rolle der Feindbilder hat, wie ich glaube, abgenommen, aber ihr Wegfall schlägt sich nicht in vertiefter Erkenntnis der neuen Aufgaben nieder. Bei uns herrscht ein hohes Maß an übervernetzter Verrechtlichung der Verhältnisse und an Immobilität. Es scheint, als ob unsere Gesellschaft im Westen nichts mehr fürchtet als eine Veränderung des bestehenden materiellen Zustandes. Das ist die Utopie des Status quo.

Wir haben nun gerade erlebt, daß Utopien sich als Illusionen erwiesen haben. Aber am Status quo einfach immobil festzuhalten, ist weder möglich noch verheißungsvoll. Wofür schon die Vereinigungen im eigenen Land und in Europa sorgen werden, also Ziele, an denen uns elementar liegt.

Dieser Zustand der Gesellschaft ist gewiß eine der wichtigsten Ursachen für die Entwicklung der Parteien. Es ist eine merkwürdige und ungute Wechselwirkung: Auf der Höhe der äußeren und inneren Freiheit, auf einem vorher nie erreichten Niveau von materiellem Wohlstand und geprägt von gewachsenem Ansehen und Einfluß in der Welt, wirken eine zuverlässig demokratische Vorteilsgesellschaft und ein dazu passender Parteienfunktionalismus zusammen, der stark ist in seinen Machtstrukturen, aber in der langfristigen, konzeptionellen Führungsaufgabe zu kurz greift.

*Sie beschreiben einen großen, stillen Konsens zwischen Öffentlichkeit und Parteien, besonders deutlich sichtbar seit dem Mauerbruch am 9. November 1989.*

Es ist eine Art von Vorteilsaufteilung zwischen Politik und Gesellschaft. In der Gesellschaft steht die Erhaltung materieller Vorteile im Vordergrund. Im politischen System dominiert die Kunst des Parteienkampfs untereinander. Es geht, wie früher schon erwähnt, um Wohlstandserhaltung gegen Machterhaltung. Dabei unterliegen beide Seiten der ständigen Versuchung auf Kosten der Zukunft zu leben, um sich die Gegenwart zu erleichtern.

Einen Konsens kann man es freilich kaum nennen, denn die Bevölkerung zeigt sich von ihren Parteien nicht gerade beeindruckt.

*Aber hat nicht trotzdem die Parteienkritik in der Öffentlichkeit, die ja eben »nicht beeindruckt« ist, wie Sie sagen, in einer gewissen Weise auch etwas Schizophrenes? Parteien in Westdeutschland sind die Einrichtungen, die von der Politik entlasten. Und Parteien sind die Einrichtungen, die man wegen dieser Entlastung kritisieren kann. Die Erwartung ist ebenso da wie dieser Affekt gegenüber Parteien. Das war vielleicht kurze Zeit anders nach dem Bonner Machtwechsel von 1969, ein Teil der 68er Generation trat den »Marsch durch die Institutionen«, also auch durch die Parteien an. Es kamen Mitbeteiligungswünsche auf, aber latent ist in Deutschland der Widerspruch zwischen dem Wunsch, irgend jemand »oben«, im Zweifel die Parteien, möge die Probleme lösen, und der oft billigen Kritik an den überforderten Problemlösern immer noch vorhanden.*

Das ist gewiß richtig. Es ist ein Widerspruch, der in beinahe jeder Demokratie auftritt. Ihre und meine Argumente laufen darauf hinaus, die Schuld nicht allein bei den Parteien zu suchen. Das ist gut so.

Wie stoßen wir zu den wesentlichen Fragen unserer Zeit vor? Wie und wo können die konzeptionellen Antworten gefunden werden? Wer kann und muß helfen, damit politische Führungsaufgabe in der Demokratie eine lösbare Aufgabe wird?

*Wir nähern uns damit einem ganz zentralen Punkt der ganzen Kritik. Nehmen wir einmal als Zeugen Hans Magnus Enzensberger und zwar deshalb, weil er als intellektueller Befürworter utopischen Denkens gegolten hat. Enzensberger sagt inzwischen zufrieden-melancholisch, Politik sei heute voll ausgelastet mit dem Verwalten dessen, was ist. Unser verstorbener Kollege Rolf Zundel schrieb kurz vor seinem Tod, eigentlich sei Politik vollauf damit beschäftigt, den Laden zusammenzuhalten, viel mehr schaffe sie nicht. Da sind aus sehr hohen Ansprüchen viel bescheidenere Erwartungen geworden, gar nichts mehr von Führung und auch gar nichts mehr von Zielvorgaben, die von Politik und Parteien zu kommen hätten.*

Vorsicht! In der Demokratie, der bekanntlich »schlechtesten Regierungsform außer allen anderen«, wie wir seit Churchill wissen, kann und muß den politischen Parteien besser vor- und zugearbeitet werden. Auch das gehört zur demokratischen Bürgergesellschaft. Darauf will ich bei unserem ganzen Gespräch in allererster Linie hinaus. Denn die Parteien sind nur sehr bedingt fähig, aus sich heraus die bestehenden Schwächen zu überwinden.

Sie haben soeben die sechziger Jahre erwähnt; diese mündeten zwar in der Jugendrevolte, aber sie begannen mit bedeutenden gesellschaftlichen Initiativen, die tief in die politische Klasse hineinwirkten. Ich denke an das Tübinger Memorandum von 1961, an die schon erwähnte Ostdenkschrift der Evangelischen Kirche von 1965, an Initiation zur Schul- und Hochschulreform, an den Deutschen Bildungsrat. Die Sozialausschüsse der CDU bearbeiteten in einem Arbeitskreis Wege zur Verständigung mit Polen. Beim Bundesverband der Industrie wurden Pläne zur Entwicklungspolitik zur Debatte gestellt. Die Industriegewerkschaft Metall erörterte auf einem großen Kongreß in Oberhausen die Umweltpolitik in der Industriegesellschaft. Ich kann nicht alle Beispiele aufzählen, sondern will nur sagen, das war eine für die Parteien oft ungemein unbequeme, aber für die Demokratie fruchtbare Phase der aktiven Bürgergesellschaft. Da wirkten nicht die Parteien in alle Winkel der Gesellschaft hinein, um Wählerschaft zu sammeln. Sondern da wirkten starke Kräfte und gute Köpfe der Gesellschaft auf die Parteien ein, trieben sie voran und gaben ihnen etwas zu bündeln und damit zu führen in die Hand.

Nach meiner Überzeugung muß sich dies auch in unserer heutigen Gesellschaft allmählich wieder beleben. Jeder große Verband kann für die Angelegenheiten des ganzen Landes mitdenken, einen eigenen Beitrag zum Zusammenwachsen und zum Lastenausgleich, zur Reform in Osteuropa, zur Umwelt und zur Dritten Welt leisten; dann werden auch seine eigenen Interessen überzeugender. Die Kirchen können ihre apologetischen Diskussionen abklingen lassen und überleiten in Verständnishilfen für die Notwendigkeit solidarischen Handelns. Die Wissenschaft, die unter der quantitativen Explosion der Hochschulen stöhnt, wird das Zutrauen der Öffentlichkeit zu ihren eigenen Interesse nur stärken, wenn sie deutlicher erkennbar an den Antworten auf die Orientierungssuche unserer Gesellschaft mitwirkt.

Die sachverständige, uneigennützige, parteiunabhängige, konzeptionelle Arbeit und öffentliche Diskussion ist notwendiger Bestandteil unserer Demokratie ganz besonders heute, nach dem erfolgreichen Ende des Kalten Krieges und in einer Phase, in der man erst allmählich entdeckt, daß nun keineswegs alle Fragen beantwortet sind.

*Das führt nun mitten hinein in die Frage der Utopien und ob sie – heute noch? – etwas sein könnten, womit die Demokratie ihre Tauglichkeit erweist.*

Im Osten ist der Kommunismus als Staatsform zusammengebrochen. Seine Ideologie besteht nur noch in gewissen Restbeständen. Die zentrale Verwaltungswirtschaft ist gescheitert. Die Marktwirtschaft und Demokratie der westlichen Welt setzen sich durch. Es ist eine gewaltige Entwicklung.

Triumphalismus empfiehlt sich nicht, weil er blind macht. Verantwortungsbewußte Freude und Tatkraft sind angebracht. Während der Anspannung des Kalten Krieges haben oft andere Prioritäten gegolten, die manche innere Fragestellung bei uns unter der Decke hielten. Jetzt kehren wir gewissermaßen zu unseren eigenen Aufgaben zurück, ebenso wie zu globalen Problemen, die der Ost-West-Konflikt in den Hintergrund gedrängt hatte.

Wie steht es nun mit den Utopien? Wir sind eine liberale Demokratie, und jetzt kann man hören, daß zum Gedanken des Liberalen schon nach seiner Begriffsbestimmung eine Absage an jede Utopie gehöre. Meine Erfahrung lehrt mich etwas anderes. Zunächst verweise ich noch einmal auf die Utopie des Status quo, die bei uns vorherrscht. Diese gehört in das Reich der Illusionen.

Doch es wird weiterhin Utopien geben, wenn sie Hoffnungen auf eine veränderte Zukunft zum Ausdruck bringen, Hoffnungen auf Verbesserungen heutiger Zustände, die man als schwer erträglich empfindet.

Der Marxismus ist in seiner real existierenden Form kollabiert. Im Lauf seiner Geschichte hat er freilich Entscheidendes zur Kritik und zur Korrektur von Auswüchsen des lernfähigen Kapitalismus beigetragen.

Die überlegene Effizienz des Marktes liegt auf der Hand. Er versorgt die Menschen am besten, die selbst über ihren Bedarf entscheiden und die als politische Bürger für eine soziale Nachregulierung der Marktwirtschaft sorgen.

Aber gibt es nun nichts mehr zu kritisieren oder zu korrigieren? Das Gegenteil ist richtig. An der Spitze steht die gefährdete Natur. Die Marktwirtschaft muß zu etwas fähig werden, was bisher kein System geschafft hat, nämlich die ökologische Rücksichtnahme zum Bestandteil ihres eigenen Mechanismus zu machen, wenn sie weiterleben will. Die Weltbevölkerung vervierfacht sich in diesem Jahrhundert. Hunger, Treibhauseffekt, Flüchtlingselend breiten sich aus. Der fürchterlichen Energieverschwendung in den reichen Gesellschaften steht Energiemangel bei den Armen gegenüber, Ausdruck von Überentwicklung und Unterentwicklung gleichzeitig auf der Welt. Die Dritte Welt leidet Not. Wenn sie auf das Niveau der Industrieländer »hinaufentwickelt« würde, also zum Beispiel auf einen vergleichbar hohen Verbrauch der Naturressourcen, dann bräche menschliches Leben in der zerstörten Natur zusammen.

Hinzu kommen in unserer Marktwelt böse Ursachen und Folgen von Bedarfsgewohnheiten der unablässigen Reize bis hin zum Drogenkonsum, die Ausdruck von Perspektivlosigkeit und von Schwäche sind, wenn es um erfüllende, sinnvolle Aufgaben geht. Und für die Drogen hat sich von der Produktion bis zur Geldwäsche der Erlöse eine der gigantischsten, kapitalistischen Strukturen aufgebaut.

Der Markt kann Gutes und Schlechtes hervorbringen. Die größte Stärke der Marktwirtschaft ist Lernfähigkeit. Wir haben allen Grund sie zu suchen und einzusetzen. Es ist immer meine Überzeugung gewesen: Realisten tun ein gutes Werk, wenn sie die Weltfremdheit von Utopien dort aufdecken, wo diese im Zeichen idealer Ziele zur real existierenden Freiheitsberaubung degenerieren. Es wäre aber ein kümmerlicher Realismus, der die Augen vor der nüchternen Einsicht verschlösse, daß wir Menschen immer wieder neue unerträgliche Zustände auf der Welt hervorbringen. Diese Verhältnisse rufen neue Gegenkräfte und zum Glück auch neue Hoffnungen auf den Plan. Der Realist sollte sie nicht als Utopien abtun. Er sollte dankbar dafür sein, daß sie ihn immer wieder zu notwendigen Korrekturen zwingen. Warum sollte der Realist im Utopisten zwar nicht seinen Konkurrenten, wohl aber seinen wahren Helfer erkennen?

Ich weiß, wie schwer es ist, solche Themen im politischen Alltag zu erörtern. Aber ich halte es für notwendig. Es gibt ja doch wohl ein mehr oder weniger deutliches Bewußtsein von der Relevanz solcher Fragen in der Bevölkerung. Wenn die Parteien sie nicht recht aufgreifen, weil sie ihnen zu schwierig erscheinen oder keine direkten Wahlerfolge versprechen, dann ist auch dies ein weiterer Grund für wachsende Distanz der Wähler zu den Parteien oder eben zu größerer gedanklicher Aktivität in der Gesellschaft selbst.

*Sozialwissenschaftler berichten, daß die sogenannte Partei der Nichtwähler ständig anwächst, parallel dazu sprechen sie von Bindungslockerungen überhaupt. Das gilt für den gesellschaftlichen Bereich. Die Kirchen sind ein Beispiel dafür, auch die Parteien und Gewerkschaften. Fassen Sie das alles dahingehend zusammen, daß wir uns in einer Legitimationskrise befinden?*

Die Bindungen sind schwächer geworden, gewiß. Wahlentscheidungen zugunsten einer Partei sind nicht etwa von Hause aus politischer als die Entscheidung, überhaupt nicht zu wählen. Gerade diese ist bei vielen hochpolitisch und zuweilen durchdachter als die Fortsetzung einer überkommenen Verhaltensweise. Eine Verhaltensveränderung ist nicht notwendigerweise besser, aber manchmal durchdachter als die unreflektierte Fortsetzung der Tradition.

Es gibt verschiedene Angebote für solche Veränderungen, radikale Randgruppen, die sich als Notausgänge anpreisen, Fundamentalismen oder die Spezialisierung auf bestimmte Themen. Die Frage ist, ob das bestehende politische System aus ihnen etwas lernen und sie demokratisch integrieren kann.

Bei den Grünen handelt es sich um den eindrucksvollen Versuch, Aufmerksamkeit auf das für alle zentrale Thema der Natur und Umwelt zu lenken. Die Grünen versuchten sich gegenüber den herkömmlichen Parteiinteressen und Parteistrukturen frei zu machen. Aber es zeigte sich schnell, wie schwer das ist: Man kann sich nicht als Bürgerbewegung dauerhaft etablieren und ein einzelnes wichtiges Thema zentral zur Geltung bringen, wenn man nicht zugleich in der Lage und bereit ist, darum herum eine Art Gesamtprogramm für die eigenen politischen Vorstellungen zu entwickeln und nach politischen Partnern zu suchen, wie es zum Beispiel Antje Vollmer tut.

*Die Bundesrepublik hat ihre Umwege um den Parteienstaat herum jeweils gefunden. Sie hat den Weg der Außerparlamentarischen Opposition um den Parteienstaat herum erlebt. Die Bürgerinitiativen folgten in den 70ern, auch noch Anfang der 80er Jahre. Und andeutungsweise zeigt sich ein solcher Umweg auch im Moment der Vereinigung, als die Bürgerrechtler auftraten und der Runde Tisch eingerichtet wurde. Nur, dabei bleibt es – im Augenblick jedenfalls – stecken. Es sind abgebrochene Versuche.*

Es gab eine Suche um die alten Parteien herum, aber auch durch sie hindurch oder einfach in sie hinein. Alle Parteien sind mehr oder weniger durch die Grünen weiterentwickelt worden. Vielleicht auch ein hilfreiches Lernverhältnis zwischen Realisten und Utopisten?

Überdies waren es wohl auch die 68er Bewegung, die Bürgerinitiativen und die Runden Tische, die den ausgeprägtesten Denker unter den Bürgerrechtlern im ganzen kommunistischen Bereich, nämlich Vaclav Havel, dazu bewogen haben, ernsthaft nach einem dritten Weg demokratischer Strukturen zu suchen. Also nach einem dritten Weg weg von der kommunistischen Herrschaft in Richtung auf demokratische Freiheit und Rechtsstaatlichkeit, aber nicht hin zum Großparteiensystem der westlichen Welt. Er hat nach einer Bewegungsdemokratie gesucht, die das Ganze würde tragen können.

*Weil Sie so einfühlend über Vaclav Havel sprechen – immer wieder wird gesagt, daß einer wie er gefehlt habe für die Menschen in der ehemaligen DDR, gerade in der Umbruchphase. Uns würde interessieren, wie Ihr persönliches Verhältnis zu Havel ist oder wie Sie ihn als Grenzgänger zwischen Geist und Macht erleben? Was könnte man lernen hinsichtlich des Problems, über das wir sprechen, über die Demokratie nach der großen Zäsur von 1989 und in dieser Phase des großen Neuanfangs?*

Zunächst möchte ich die Deutschen in der ehemaligen DDR gegen den Vorwurf in Schutz nehmen, sie hätten keinen Vaclav Havel produziert...

*Das ist allerdings auch die Selbstkritik von Jens Reich und anderen aufgeklärten Köpfen. Reich meint, sie, die Ost-Intellektuellen, hätten sich letztlich zu sehr gefügt und am Ende allenfalls die Trompete geblasen, während die morschen Mauern wie in Jericho praktisch von allein fielen.*

Es ehrt Jens Reich, daß er so spricht. Aber mutige und kluge Leute hat es auch in der DDR gegeben, nur war es für sie schwer, zur selben politischen Bedeutung vorzudringen wie in anderen Ostblockländern, weil sie gewissermaßen nie auf sich allein gestellt waren, sondern immer unter den Bedingungen der geteilten deutschen Nation lebten. Das heißt, wichtige unter ihnen gingen in den anderen Teil Deutschlands oder wurden gegangen.

Und von Westdeutschland aus wurde auf teils willkommene, teils unwillkommene Weise mitgeredet.

Was ich an Havel unter anderem immer bewundert habe, ist sein völlig kompromißloser Freiheitswillen, kombiniert mit seinem intellektuell und moralisch scharfen Blick für die Schwächen des Lebens unter den Bedingungen der Freiheit. Jetzt lebt er selbst als Präsident seines Landes unter solchen schweren Problemen. Aber die Eigenständigkeit seines Denkens und Fühlens sind gänzlich ungebrochen.

*Hans Magnus Enzensberger hat in der deutschen und europäischen Umbruchsphase Ende 1989 über »Helden neuer Art« geschrieben, er nannte sie Helden des Rückzugs, die »den Verzicht, den Abbau, die Demontage repräsentieren«: Er meinte damit Leute wie Michail Gorbatschow oder General Jaruzelski, sie seien die wahren Helden dieser Zeit. Wenn man Havel und sein Leben betrachtet, ist er das Gegenbeispiel.*

So kann man es nennen. Ich möchte hier nicht inzidenter Urteile über Gorbatschow oder Jaruzelski anbieten. Havel fiel unter den besonders bedrückenden Verhältnissen in seinem Land eine Rolle zu, die er auf wahrhaft historisch eindrucksvolle Weise auf sich genommen hat. Seine Unbeugsamkeit und sein Mut paaren sich mit einer herrlichen humanen Frische von Kopf und Herz. Er denkt immer neu und selbständig. Man begegnet bei ihm keinen Formeln oder gar Leerformeln. Was er über die Arbeit an der Vergangenheit und die Wahrheit in der Politik, über die Kraft des Wortes und über den Frieden gesagt hat, das alles gehört sowohl in die Philosophie als auch in die Politik. Er steht zwischen beiden, die beide froh sein könnten, wenn sie seine Gaben hätten. Und ein köstlich verhaltener Schalk ist er obendrein. Wie gut für ihn, denn er hat es wahrhaft schwer genug zu Hause.

*Aber er liefert auch ein Beispiel dafür, daß westeuropäische Intellektuelle vom Osten lernen. Das Wort von der »zivilen Gesellschaft« oder die Philosophie der »Antipolitik«, das ist im Westen auf fruchtbaren Boden gefallen. Könnten West und Ost damit sogar eine gemeinsam intellektuelle Ebene finden?*

Ich will den westlichen Intellektuellen nicht zu nahe treten. Doch habe ich von Vaclav Havel gerade auch über unsere westliche Befindlichkeit mehr gelernt.

*Michael Stürmer wiederum sagt es so: Es geht nur noch um das Management des welthistorischen Umbruchs, wenn man sich die Turbulenzen in Osteuropa betrachtet, und schon das sei schwer genug.*

Schwer ist es, zumal niemand Ausmaß, Richtung und Dauer des welthistorischen Umbruchs genau genug kennt. Doch darf sich politische Führung in der Demokratie niemals nur noch als Management verstehen, so sehr auch das dazugehört, sonst wird sie mit den Bedürfnissen der Menschen nicht fertig. Wenn sie nur noch verwaltete, dann würden Stimmen laut, die nach effektiverem Management rufen könnten, als es die oft so unbewegliche Parteiendemokratie zu bieten vermag. Dann bestünde die Gefahr, schließlich in einer Art Bonapartismus oder Salazar-Regime einzumünden.

*Welche Erwartungen haben Sie an die Schreiber und Denker, an die Intellektuellen? Haben Sie das Gefühl, daß sie gerade im Prozeß der deutschen Einheit zu lang geschwiegen oder sich abgemeldet haben, wie es ihnen – gelegentlich mit Häme – vorgeworfen wird?*

Geschwiegen haben sie nicht. Sie haben große, zumeist interne Auseinandersetzungen geführt und sind noch immer dabei.

*Aber sie widmen sich zu sehr der Vergangenheit?*

Jedenfalls vorrangig der Vergangenheit und vor allem der in ihrem Lebenskreis.

Ich hoffe da noch auf neue Entwicklungen. Es wird wieder einmal Zeit, aus der alten deutschen Tradition des Gegensatzes zwischen Macht und Geist herauszutreten. Der Geist könnte in unserer Zeit einen wichtigen Beitrag zur Erkenntnis leisten, wie es denn heute mit Macht und Machtausübung in der Demokratie bestellt ist. Fast alle schon behandelten Fragen gehören dazu. Ich wiederhole: Machtversessenheit in bezug auf Wahlkampferfolge, Machtvergessenheit oder, besser gesagt, Ohnmacht, was die Konzeption und den gewaltigen Orientierungsbedarf in unserer Zeit anbetrifft. Wenn wir eine politisch sehr machtbewußte Politikerschicht in unserem Land haben, die aber zu wenig leistet, wenn es um die Substanz und die Übersicht über die großen Fragen geht, dann könnten Intellektuelle ruhig hörbarer mitstreiten und etwas machtvolleren, politischen Geist zunächst selber beitragen und dann einfordern. Wenn in der Politik zuviel Macht angesammelt ist und wenn es zu Mißbräuchen in ihrer Anwendung kommt, dann meldet sich der Geist mit seiner Kritik – zu Recht. Wenn aber das politische Mandat gar nicht zur konzeptionellen Führung benutzt wird, wenn also ein geistig-politisches Machtvakuum entsteht, warum schweigen dann die Intellektuellen dazu?

Zur Zeit nehme ich beim Geist eher Distanz und zuweilen Resignation gegenüber der politischen Macht wahr, dagegen weniger kritische und vitale Beteiligung. Jedenfalls hat es Zeiten gegeben, in denen man sich in der Politik weit stärker herausgefordert fühlte durch den Geist, kritisch oder konstruktiv, oder beides.

*Umgekehrt werden aber auch die Einladungen zur partizipatorischen Demokratie nicht mehr ausgesprochen, derer es von seiten der Politik schon gelegentlich bedurft hätte, wenn überhaupt ein solcher kritischer oder konstruktiver Dialog in Gang kommen soll.*

Das mag richtig sein, und ich bedauere es. Freilich, welcher Politiker fühlt sich denn zur Zeit in seiner Tätigkeit von Intellektuellen ernsthaft geistig beeinträchtigt? Partizipatorische Demokratie ist genau das, wonach ich suche, damit der Parteienstaat mehr Qualität gewinnt. Aber die Parteiführungen laden nur ein, wenn sie Herausforderungen spüren, die ihnen weh tun.

*Diese politische Zurückhaltung der Intellektuellen könnte auch damit zu tun haben, daß sie über den oft inhaltsleeren und nicht problemadäquaten Parteienstreit mindestens so entsetzt sind wie der Bundespräsident, nur daß sie sich eben anders dazu verhalten können.*

Ich weiß gar nicht, ob sich die meisten von ihnen mit diesem Thema so viel beschäftigen wie ich. Ich würde gern mehr darüber hören und lesen und mich damit auseinandersetzen können. Können Sie mir gute Beispiele dafür geben?

*Wir haben die guten Beispiele nicht. Aber Sie sind einer der wenigen, die öffentlich das Wort »Sozialismus« überhaupt noch in den Mund nehmen, zum Beispiel in Ihrer Züricher Rede vom Januar 1990. Dort haben Sie gefragt, welche Korrektivfunktion »Sozialismus« denn haben könnte im Westen. Bei den Intellektuellen ist diese Bereitschaft weggebrochen.*

Ich will es weiter tun, und es wird auch andere geben, die es tun. Meine Mitwirkung an öffentlichen Angelegenheiten hat sich erst allmählich und relativ spät entwickelt. Oft ist es bei mir, wie Paul Tillich es nennen würde, ein Leben auf der Grenze. In meiner Familie bin ich einer der wenigen, die nicht wissenschaftlich, sondern praktisch tätig sind, ohne deshalb den Kontakt zur Wissenschaft zu verlieren. Ich stamme nicht aus dem politischen Parteienleben. Das gilt sowohl für meine Jugend als auch für die ganze Nachkriegszeit. Erst im Alter von fast fünfzig Jahren bin ich zum ersten Mal in ein politisches Amt gewählt worden. Viele Jahre lang hatte ich vorher aktiv an Aufgaben meiner Kirche mitgewirkt. Und was mich dort innerlich gebunden hat, habe ich immer wieder, wenn auch oft ohne Erfolg, in der Politik zur Sprache zu bringen versucht. Oft habe ich auch umgekehrt politische Argumente im kirchlichen Bereich vertreten, und keineswegs immer erfolgreich.

Im Bundestag habe ich den Schwerpunkt meiner Arbeit in der Ost- und Deutschlandpolitik gehabt. Mein Bedürfnis war es, das, was ich vor allem durch meine kirchliche Tätigkeit in der DDR kennengelernt hatte, im westdeutschen Parlament zur Geltung zu bringen.

Es hat mich also, wenn Sie so wollen, immer gereizt, dort, wo ich gerade einer Aufgabe nachzugehen hatte, den jeweils Abwesenden zu vertreten und einzubeziehen. In diesem Sinne sehe ich mich in einer vermittelnden Rolle. Ich möchte dazu beitragen, die Politik gegenüber dem Geist und den Geist gegenüber der Politik zu öffnen und zur Geltung zu bringen. Das ist schwierig, wichtig und lohnend. Auch mein jetziges Amt ist eine Herausforderung in dieser Richtung.

Francis Fukuyama vertritt bekanntlich die These, das Ziel der Geschichte sei die liberale Demokratie und diese habe sie nunmehr erreicht, nachdem die Konkurrenten ausgeschaltet worden seien. Die Diskussion über seine These und Buchüberschrift vom »Ende der Geschichte« hat gelegentlich surrealistische Züge. Ich denke wir müssen uns fragen, wie es mit der Kraft der liberalen Demokratie bei uns steht, um die Schwächen der Zeit zu erkennen, den Immobilismus der Gesellschaft zu überwinden, um aus dem verständlichen aber unzureichenden Vorteilsdenken herauszufinden. Die Parteien für sich allein sind dazu jedenfalls heute zu schwach. Zum Teil verkörpern sie selbst die Mängel. Der Geist spielt bei uns in der jetzigen Phase nicht die Rolle, die ihm zukommt und die wir dringend brauchen. Er sollte der Politik und der ganzen Gesellschaft in der nötigen Weise im Nacken sitzen und zur Beantwortung der Fragen beitragen.

*Der Rückzug heute könnte eines der fatalen Ergebnisse des Parteienstaates sein, wie Sie ihn charakterisieren.*

Ein Rückzug, der nicht hinzunehmen ist und so hoffentlich auch nicht bleibt.

Nicht die Frage nach alten oder neuen Gefahren und Fehlleistungen des Nationalgefühls steht für uns Deutschen im Vordergrund, wie ich es sehe. Wichtiger ist die Frage, wie sich die liberale Pluralismus-, Parteien-, oder Fernseh-Demokratie weiterentwickelt. Und wie es mit der Zukunft unserer demokratischen Bürgergesellschaft steht. Das ist nach meinem Gefühl in einem politischen Gespräch oder Buch über unsere Verhältnisse die erste und die letzte Frage.

# Richard von Weizsäcker
## Biographische Daten

Richard von Weizsäcker wurde am 15. April 1920 in Stuttgart als Sohn des Diplomaten Ernst von Weizsäcker und dessen Frau Marianne, geborene von Graevenitz, geboren. Seine Schulausbildung erhielt Richard von Weizsäcker unter anderem in Kopenhagen und Bern, sein Abitur machte er am Bismarck-Gymnasium in Berlin. Sein Studium begann er 1937/38 in Oxford und Grenoble. Von 1938 bis 1945 war Richard von Weizsäcker Soldat, zuletzt als Hauptmann. Nach dem Krieg setzte er sein Studium, Jura und Geschichte, in Göttingen fort, wo er 1954 zum Dr. jur. promoviert wurde. Von 1950 bis 1966 arbeitete Richard von Weizsäcker in verschiedenen deutschen Unternehmen. Von 1962 bis 1984 gehört Richard von Weizsäcker dem Präsidium des Evangelischen Kirchentags an und fungiert von 1969 bis 1970 und von 1979 bis 1981 als Kirchentagspräsident. Von 1969 bis 1984 war er Mitglied des Rats der EKD.

CDU-Mitglied ist Richard von Weizsäcker seit 1954, 1966 bis 1984 (Wahl zum Bundespräsidenten) gehörte er dem Bundesvorstand der Partei an. 1969 wurde er über die Landesliste Rheinland-Pfalz in den Bundestag gewählt. Eine wichtige Rolle spielte Richard von Weizsäcker Anfang der siebziger Jahre in der Auseinandersetzung um die Ostverträge, innerhalb der CDU/CSU war er maßgeblich an den Bemühungen beteiligt, die im damaligen Bundestag eine Ratifizierung der Verträge von Warschau und Moskau möglich machten.

Richard von Weizsäcker war in den siebziger Jahren Vorsitzender der Grundsatzkommission der CDU, bis

1979 einer der stellvertretenden Fraktionsvorsitzenden und danach bis 1981 einer der Vizepräsidenten des Bundestags. Bereits im Mai 1974 hatte von Weizsäcker in der Bundesversammlung im Auftrag der CDU/CSU gegen Walter Scheel für das Amt des Bundespräsidenten kandidiert.

Im Juni 1981 übernahm Richard von Weizsäcker in Berlin das Amt des Regierenden Bürgermeisters, zunächst als Chef eines Minderheitssenats, dann – nach der Bonner »Wende« – ab März 1983 an der Spitze einer CDU/FDP-Koalition. Von Weizsäcker reiste im September 1983 als erster Regierender Bürgermeister in die DDR, wo er als Mitglied des Rats der EKD in Wittenberg eine öffentliche Rede hielt. Im damaligen Ostberlin wurde er von Erich Honecker empfangen.

Am 23. Mai 1984 wurde Richard von Weizsäcker als Nachfolger von Karl Carstens mit 832 von 1017 gültigen Stimmen von der Bundesversammlung zum 6. Deutschen Bundespräsidenten gewählt. Die SPD hatte auf einen Gegenkandidaten verzichtet. Die Grünen hatten die Schriftstellerin Luise Rinser nominiert; sie erhielt 68 Stimmen.

Am 23. Mai 1989 wurde von Weizsäcker – vorgeschlagen von den Koalitionsparteien und den Sozialdemokraten – mit 881 von 1022 Stimmen für seine zweite Amtsperiode erneut gewählt. Sie endet am 30. Juni 1994.